26 南宋
西元1127～1276年

[注音本]

全新 吳姐姐講歷史故事

吳涵碧◎著

目錄

【第569篇】

美髯公的功德。

元太祖成吉思汗駕崩，根據蒙古舊習，暫時由幼子拖雷掌管國事，並且寄發開會通知，召集宗親、駙馬、將領在明年（西元一二二九年）夏天開會，推戴新君。

在這一段由拖雷主持國政的期間，燕京城內出現了許多牛車大盜，駕著牛車，發瘋似的闖入富豪之家，搶奪財物，若是稍有抗拒，就把一家大小殺光。

牛車大盜做案的時間是大白天，手法殘忍毒辣，居民人人自危。耶律楚材親自出馬辦案，以迅雷不及掩耳的方式，逮捕了十多名人犯。嫌犯找了耶律楚材的好友來說情，並且奉上一個大紅包，耶律楚材一口拒絕了，他說：『如果不懲罰，將來會釀成大亂。』立即將十六人處死。

燕京城裡的百姓都說：『還眞虧得有個吾圖撒合里。』(意思是美髯公)按耶律楚材是大鬍子，蒙古人皆以此暱稱之。

到了第二年夏天八月裡，各路人馬都到齊了，大夥兒旅途勞頓，光是洗塵宴就足足吃了三天，然後才商議大事。此時成吉思汗的長子朮赤已經戰死，老二察合臺年齡最長，有人建議，應該由察合臺繼承汗位，大多數發言的人中意老么拖雷，然而，成吉思汗的遺命，卻是由老三窩闊臺繼承。

由於眾說紛紜，莫衷一是，一拖就是整整四十天，耶律楚材對拖雷說：

『這是宗社大計，應該早日作個決定。』

拖雷苦笑道：『大家意見不一致，再找一個黃道吉日商量。』

『過了此時，再也沒有什麼黃道吉日了。』耶律楚材正色道。他是擔心汗位久懸，夜長夢多，非國家之福，因此，他找了察合臺及成吉思汗的幼弟斡赤金出面主持，又讓拖雷鄭重宣佈成吉思汗的遺命，這才順利的擁立窩闊臺繼任汗位。

耶律楚材深受儒學影響，非常講究君臣之禮，他對察合臺說：『你雖然是窩闊臺的哥哥，但也是臣子，依照禮數仍然應該下拜，你拜了以後，其他諸王才會跟著下拜。』

察合臺一向性情頑劣，卻很肯聽美髯公的話。於是乎，當窩闊臺即位之時，羣衆歡呼，紛紛下拜，窩闊臺大樂，皇族臣僚退下以後，他拍著耶律楚材的肩膀誇獎道：『你眞不愧是社稷重臣。』

由於耶律楚材有擁戴之功，再加上成吉思汗付託之重，窩闊臺對他，可以說是倚畀良深。蒙古帝國眞正的建國立制，也在這一段時候。窩闊臺即位的第三年，組織了一個中國式的中央行政機構，稱之爲中書省，相當於今日的行政院，耶律楚材擔任中書令，成爲窩闊臺的首相，也是元朝的第一任中書令。

窩闊臺南征之時，從中國俘虜了不少工匠，他很羨慕中國宮殿城垣的富麗堂皇，比蒙古帳篷豪華舒適多了。於是，在耶律楚材一手的經營擘畫之下，在和林建立了一座萬安宮，蒙古帝國開始有了正式的都城。

當時，蒙古人攻佔了黃河流域中原一帶，成吉思汗時代，大事西征，沒有時間治理，許多官吏聚斂自私，都成爲億萬富翁，到了窩闊臺時代，居然有別迭提出建議：『中原漢人留著無用，不如全部殺光，把田地開闢爲牧場，便於蒙古人統治。』

這個建議把耶律楚材嚇壞了，他知道不能用人道主義說服窩闊臺，只能用利來引誘。他告訴窩闊臺：『把漢人殺光，多可惜啊，留下漢人，男耕女織可以生產無數的稻穀布帛，而且可以徵收地稅、商稅，以及鹽酒、鐵冶、山澤之利，供給軍需，不是一件大好的事嗎？』

窩闊臺考慮了一會兒說：『這樣吧，先選擇十個地方試試看。』於是在燕京、太原、濟南等十地制定租稅制度，並且由政府所委託的地方官吏，來直接管理人民的民政與賦稅。三年下來，十個地方繳納的金帛堆積如山，窩闊臺樂壞了，中原漢人的腦袋也保住了。

根據蒙古的舊習慣，凡是投降的，可以考慮免其一死，若是稍有抵抗，一定非死不可。因此，當窩闊臺快要攻破汴京之時，主將速不臺前來報告：『此城相抗日久，且多死傷，城破之日，應該屠城。』

耶律楚材反駁道：『辛辛苦苦打了數十年，所想要得到的，也不過是土地人民，若是屠城，只得到土地，沒有得到人民，有什麼用？』

窩闊臺看看速不臺，又回頭望望耶律楚材，一時之間，猶豫不決。

耶律楚材又誘之以利道：『奇巧之工，厚藏之家，都集中在汴京城，若是一口氣殺光了，豈不是太可惜？』

窩闊臺和他的父親一樣，最爲偏愛工匠，一聽此言，決定放棄屠城，耶律楚材又救了一百四十萬人的性命。

閱讀心得

【第570篇】

窩闊臺的小故事。

蒙古帝國的眞正建制，是在窩闊臺時代，從這個時候開始，逐漸由遊牧型的國家變成爲一個有組織有文化的國家，窩闊臺算得上是一個雄才大略的君主。

窩闊臺有一個毛病——喜歡酗酒，成吉思汗在世時，經常爲此責備他。成吉思汗過世後，窩闊臺繼任汗位，沒有人敢說他，除了他的哥哥察合臺。察合臺知道，若要窩闊臺完全戒酒，是一件絕不可能的事，因此他規定，每天不得超過五杯，並且派了一個使者，隨時隨地跟在窩闊臺的身邊，監視著窩闊臺。

窩闊臺不好太不給哥哥的面子，何況當初窩闊臺繼任汗位，很費了一番周章，耶律楚材說動了察合臺，要察合臺根據漢人君臣之禮，率先向窩闊臺下拜，察合臺很夠意思的率領皇族及臣僚下跪，這番恩情，窩闊臺銘記在心，所以察合臺哥哥的教訓，窩闊臺也就不便公然違逆。

但是，窩闊臺想了一個變通的法子，當他犯了酒癮，監視他的侍臣，恭恭敬敬呈上一小盞時，他喝斥道：『給我換大杯的來。』

侍臣楞了一會兒，換了一個比較大的杯子，窩闊臺看著仍不滿意的批評：『你會不會辦事？』說著，他乾脆自己找來一個特大號的酒杯，斟滿

了酒，仰著脖子，咕嘟咕嘟，痛快極了。

如此這般，窩闊臺還是謹守哥哥的規矩，一天喝五杯，不過，此杯非彼杯，差別可大了，侍臣不敢報告察合臺，更不敢指責窩闊臺賴皮，夾在中間，進退兩難，只好睜一隻眼，閉一隻眼，卻擔心窩闊臺因此生了病。耶律楚材不曉得窩闊臺每天到底喝多少，只知道窩闊臺老是臉紅紅的，走路踉踉蹌蹌，而且全身都是一股難聞的酒精味兒。

有一天，耶律楚材搬來一個酒槽，指著上面的鐵口說：『大汗請看，這個鐵皮被酒所侵蝕，都生了鐵銹，何況人的血肉之軀。』

窩闊臺低頭一看，鐵銹斑斑，的確可怕，心想人的五臟六腑，畢竟不是鐵打的，以後，就漸漸減少酒量。其實，鐵生銹是氧化作用，與酒精並沒有什麼關係，但是，當時的人沒有這種科學知識。除了喜歡喝上兩杯之外，窩闊臺倒不失為一個明君，而且頗有問案的邏輯頭腦。

當窩闊臺即位之初，他下了一個命令，禁止用斷喉之法殺死供烹食的牲畜，如有違反此令，一律破腹處死。這一點，恰恰與回教徒的教戒相違背，回教規定，只能食用以斷喉法宰殺的牲畜，理由是回教徒認為，血液是骯髒的，容易傳染疾病，基於衛生的理由，應該先斷喉放血。同時，在刺喉之前，要先唸道：『這是奉眞主阿拉之名。』

某日，有一個回教徒購買了一隻羊，被欽察人看到了，欽察人偷偷跟在回教徒的背後，然後攀登到屋頂上，觀察回教徒的行動。

回教徒拿起彎刀，對準羊的喉頭，直直刺入，正在此時，欽察人自屋頂一躍而下，當場逮獲，求見蒙古主。滿以爲這下子回教徒可慘了。不料，窩闊臺忽然問欽察人：『你怎麼有千里眼，剛好能看到他在宰羊？』

欽察人哼哼唧唧說不出話來，又不能解說自己正在人家屋樑上。最後，窩闊臺以樑上君子的罪名，把欽察人判了死刑，回教徒反而無罪。

窩闊臺的大公無私，使他能夠統治龐大而人種複雜的帝國。

又有一回，有一個仇視回教徒的突厥人，跑來對窩闊臺說：『我有一件天大的要事，非要稟報大汗不可。』

窩闊臺見此人神秘兮兮，眼睛不斷的眨啊眨的，就冷冷的回答：『你快說吧。』

『報告大汗，我昨天夢到成吉思汗，他親口告訴我，說：你趕快去告訴我的兒子窩闊臺，把回教徒殺個精光，除掉世界上最壞的惡種。』

蒙古人是很迷信的，也一直相信託夢之事，窩闊臺不能不慎，他思索了好一會兒問道：『成吉思汗在夢裡有沒有用翻譯？』

『沒有，他親口告訴我，要立刻消滅回教徒。』

『那你呢，你會不會蒙古語？』

『我只會突厥語。』

一聽此言，窩闊臺勃然大怒：『你這個騙子，成吉思汗只會蒙古語。』

於是，這個突厥人的腦袋就搬了家。

曾經有一個漢人，在窩闊臺面前表演皮影戲，戲中有一個長鬍子老人，頭上纏著一方白布，而這個老人的脖子，被根繩子繫在馬尾，一臉可憐相。

窩闊臺好奇的問：『他是誰？』

玩皮影戲者回答：『他是被蒙古士卒俘虜的回教徒。』

『停止，不准再演！』窩闊臺突然下達這個命令，讓正看得起勁的觀眾都傻了眼，接著，窩闊臺拿了一些波斯與漢地的寶物，對演皮影戲的人解釋：『你看，你們漢人的寶物，不足與他國比較，回教中的富人，往往有漢地奴婢，而漢地貴人沒聽說誰用回教奴婢的，你該知道回教法令，殺一個回教徒，要罰黃金四十巴里夫，殺一個漢人，只須償還一匹驢子，你好大的膽子，竟敢污辱回教徒。』

由此可見，雖然，窩闊臺接受耶律楚材種種建議，但是骨子裡卻輕視漢人，其實，整個元朝，漢人地位都不高，這些我們以後慢慢兒講。

閱讀心得

【第571篇】

金哀宗蔡州自殺。

窩闊臺即位以後，他第一件急著想做的事，就是討伐金人，繼承成吉思汗的遺志。

成吉思汗在滅亡西夏以後，得了重病，在彌留時刻他對左右說：『金人是我們蒙古人的世仇，金國的精兵在潼關，不易攻破，如果假道宋朝，讓我軍直搗汴京，金人發急，必然調潼關兵回守汴京，我軍趁其疲憊而擊之，潼關可破。』

宋理宗紹定三年，窩闊臺率同皇弟拖雷親征，採用成吉思汗的遺策，分兩路進取，金人十幾萬大軍，全面崩潰，只剩下南京汴梁與中京洛陽兩城未下，蒙古兵日夜猛攻。

金人無法招架，只有抬出『震天雷』火砲與『飛火槍』兩種新式武器守城。震天雷砲響火發，其聲如雷，聲聞百里以外。飛火槍可發數百步之遙，凡十餘步內無不燃燒，人不敢近。

有了這兩項法寶，金人苦守了半個月，再加上正值盛暑，蒙古人怕熱，金人雖然也怕熱，畢竟漢化的日子比較久，也比較習慣中原酷暑。

於是，蒙古軍隊喊『暫停』，願意兩國和解，金朝自然樂於接受和議，趕快獻上大量金帛、珍寶，並且派遣皇姪到蒙古大營當人質，蒙古軍隊撤

退。蒙古軍剛走，汴京城裡發生大瘟疫，一下子死了數十萬人，眞是屋漏偏逢連夜雨。

這個時候，金朝皇帝金宣宗已死，由太子完顏守緒即位，是爲金哀宗，金哀宗倒是一個好皇帝，性情寬和仁愛，喜歡讀書，能寫一手好文章。他深受漢化的影響，認爲『天視自我民視，天聽自我民聽』，一定是君王道德上有所愧疚，觸怒了上天，才爲國家帶來了災難。

金哀宗有鑑於此，立刻刪減了御膳房的菜單，放出宮女，淘汰冗官，並且頒旨，下令臣僚上書不得稱他爲聖，並改聖旨爲制旨，並且宣佈汴京城解嚴。

正在哀宗一心一意修德之時，金國飛虎營的兵卒，因爲不堪忍受蒙古使者的出言不遜，竟然夜半時分，持著兵器，殺掉了蒙古使者三十餘人，闖下大禍，戰爭再起。

窩闊臺好生氣，他認爲金人根本沒有和解的誠意，一方面揚言再圍汴京，一方面寫信給宋朝，聲言將幫助宋朝，共滅金朝。

金哀宗慌了手腳，下令搜括民間糧食，自親王宰相以下，每人只能存三斗米，其餘繳官，就是皇后妃嬪之家，也不得例外，這般辛苦搜括的結果，也不過得到三萬斛不到的米糧，金哀宗無法可想，黯然離開了汴京。

蒙古軍隊聽說金哀宗離開了汴京，速不臺大軍便將汴京重重圍困，搜括富戶金銀，許多金朝貴族或死於刑杖，或是被迫自殺，太后王氏，皇后徒單氏，梁王從恪，荆王守純等，以及宗室妃嬪，男女五百人，乘著三十輛車，浩浩蕩蕩前往青城。

青城在汴京城南五里，是蒙古大將速不臺軍營所在，遠在一百零六年前，北宋之亡，靖康之難時，金將粘沒喝亦駐軍於此。

速不臺殺死二王及宗室，押解后妃儒醫工匠繡女等前往蒙古和林，一路之上金朝的宗親貴戚受到的苦楚折磨，不下於當年徽宗、欽宗赴燕京時的悲慘遭遇，甚且有過之而無不及，前後一百年間，同樣的地點，上演著同樣的人間悲劇，眞是一報還一報了。

蒙古大軍入汴京以後，本來準備根據蒙古慣例，展開大規模的屠城，若不是美髯公耶律楚材的勸阻，全汴京一百多萬人的生命都不保。

汴京城陷之前，金哀宗逃到歸德府，但是他這個釜中之魚沒能支持多久，他自歸德府移居蔡州（河南省汝南縣）一路上道路泥濘，在水中跋涉，又沒有糧食，只能掇青棗為糧，個個足脛都腫得像皮球。

金哀宗向宋朝借糧，宋朝正是難得逮著復仇的機會，當然拒絕，又派了大將孟珙，接濟蒙古大軍三十萬石糧食，金哀宗派人到臨安（浙江省杭州市，南宋首都），請宋朝不要落井下石，並且提出了警告：『蒙古西征之時，滅掉將近四十個國家，回師之後滅掉西夏，西夏滅亡之後，輪到了我，我亡了以後，就該輪到你了，我們脣亡齒寒，還是相互和好吧。』但宋朝卻置之不理。

不久，宋朝聯合了蒙古軍隊，合攻蔡州，金哀宗正在蔡州，城中糧食已空，發生了吃人慘劇，甚至用人骨與泥巴相和以充飢，金哀宗眼看大勢已去，傳位給宗室完顏承麟，承麟淚流滿面，不敢接受，金哀宗懇切的說：『朕所以託付於卿，實在是情非得已，你看，朕肌體肥胖，難忍鞍馬之累，卿平日身體矯健，萬一得免，國祚或許能夠延長。』

完顏承麟看一看金哀宗，果然是胖嘟嘟的，走兩步路就氣喘，一副需要減肥的樣子，不能不勉強接受玉璽，是爲金末帝。

末帝方才受命，接受百官稱賀，宋軍已經攻陷南門，與金朝守軍展開巷戰，金哀宗交代一句：『我死後，就點起火來燒。』以後便自縊而死。不一會兒，城陷，末帝亦於城陷時被亂兵所殺，金朝至此滅亡。金人自完顏阿骨打稱帝，至金哀宗之死，共一百二十年。想當初金朝如何威風凜凜，怎料到走上靖康之難同樣的悲劇，翻閱歷史，眞讓人有殷鑒不遠的感慨。

閱讀心得

【第572篇】金人的漢化。

中華民族是多種民族混合而成。其中，生長在長白山黑水的女眞族，人物英傑，思想敏銳，渤海國、金朝、清朝都是女眞族建立的。

我們陸續介紹過不少女眞文化，現在再談一些風俗趣事：

先談吃的東西，金人喜歡飲豆漿。不過，這種豆漿不是一般油條燒餅店，用黃豆磨成的漿汁，而是用另一種方式發酵製成的，味道帶酸，類似洋人食用的乳酪，據說今日北平天橋仍有賣這種『豆汁兒』，食時用生狗血，加蒜泥才是最初原味的吃法，肉食喜半生不熟，米飯也是如此，而以高粱米爲主要食品，還喜歡以豆製成醬當作作料。

金人喜食茶點、蜜糕，據說沙其瑪即由此而來。

金人喜歡喝酒，許多金人喝了酒就殺人，所以往往在醉後，把他用繩子牢牢綑緊，待酒醒之後再鬆綁，以免酒後亂性，鬧出人命。

金人的衣服與蒙人一般，喜歡純白色，愛戴金環、銀環，通常辮髮，辮子末端用鮮豔絲緞結起。東北地方冰寒，不論貴賤都穿皮衣，所不同的是，貧者穿光版皮衣，用老羊皮製成，富人則穿貂皮、羔皮，褲、襪、鞋都以皮製成。

金初的房屋多半傍依山谷，覆以木板或樺皮，穿土爲床，土下燒火，

也就是俗稱的火炕，當金太祖起兵時，沒有城池宮室，他住的皇城叫皇帝寨，還是草原民族。

早期的金人，人人都會騎馬射獵，即是『在上馬殺人，下馬飲酒』的時代，皇帝與士兵宛如一個大家庭中的父兄子弟，那時后妃們遇到天雨，照樣脫光鞋襪，赤著脚在泥地裡踏來踏去不覺不雅觀。

金人的婚禮，凡是比較有地位者，多半指腹爲婚。婚期之前，男方偕同親屬，備份厚禮，先往女家拜門，酒是不可少的，富者數十車，數百車，貧者十餘車。到了女家，排開酒席，痛飲一番以後，新娘子全家大小，列坐炕上，新郎則拜於炕下，謂之男下女。禮畢，新郎牽來馬匹，供岳父選擇，多者百匹，少者十匹，大約選個十分之二、三，留下的馬愈多，愈有面子。

成親之後，新郎要留在新娘家，做三年事，然後迎婦返家，當然，也少不得帶一筆財富走。有些貧困的女眞姑娘，到了成年時候，還沒有人聘媒，便騎著馬歌唱求愛，如有青年男子，看中了她，便攜手同歸，然後再備禮物，赴女家求婚，這是一般民間比較草率的婚姻。

金初的將帥士兵，彼此都是『哥兒們』，一起吃飯，一塊喝酒，上下情通，沒有尊卑貴賤之別，遇到重大事件，隨便找一處空地，團團圍坐，人人都有發表意見的權利，即便是個小兵，也可提出主張，只要大家認爲有理，主帥往往照辦，打了勝仗，凱旋時，也是圍成一大圈，評定功績，頗有民主風度。帶兵官稱之爲謀客（相當於今日連長、營長）與猛安（相當於今日之旅長)。

早期的金人耐寒忍飢，好勇鬥狠，又擅長騎射，所以自完顏阿骨打稱帝之後，短短十五年之間，以秋風掃落葉之勢滅遼，又陷汴京，滅北宋，席捲北方。

正式建國之後，金太宗感到：既然建國，不能再野蠻下去，開始創製女眞文字。其後，爲了便於統治中原漢人，又尊孔養士，建立孔廟，親臨祭孔，又封孔子後裔爲衍聖公。

金人初時接觸漢人文化，相當不習慣，尤其是要穿戴整齊，漢官冠冕，手執笏板上朝，有說不出的彆扭，一心懷念伸長了脚，圍坐在空地討論的逍遙，連連抱怨：『你們漢兒立的法，拘束死了，讓我們吃盡了苦頭……。』

但是，漢族文化的吸引力畢竟不小，沒有多久，金人不但習慣了，而且更喜愛漢文字，厭惡女眞文字，愛說中國話，不說女眞話。

金朝積極漢化應該歸功於金世宗，金世宗的母親，出身東京（遼陽）望族，是一位非常美麗又有教養的貴婦人，因此，他幼年時代同時受到漢族文化與女眞文化的薰陶。

金世宗在位二十九年，史家給他的批評是『當此之時，群臣守職，上下相安，家給人足，食廩有餘，號稱小堯舜。』

堯舜是我國儒家思想中近乎神話的人物，金世宗能有此美名，不是件簡單的事，單單他擴充國子監、創設太學、設立女眞國子學的文化建設，就普遍受到後世讚揚。金世宗設立女眞國子學的目的，是在愛慕漢文化之外，不忘其根本之意，可惜效果不彰。

金人自從佔領中國地方，把女眞的猛安、謀客都調到中國內地，免費配給田地耕牛，這些北來的征服者，不解農耕，也懶得下田，便役使漢人爲奴，坐享其利，生活糜爛奢侈，過著養尊處優的生活。

過了幾十年以後，女眞原來的部族徵兵制度完全破壞，戰鬥精神完全消失，自從金宣宗以後，遇到戰爭，只好調派漢人的奴隸兵去打仗，每逢徵調漢兵的日子，地方騷動，鄉里鬼哭神號，這種軍隊自然無法戰鬥。

女眞的徹底漢化，提高了金人的素質，但是他們把漢人重文輕武的習慣也學會了，喪失了尚武精神，難怪一遇驍勇的蒙古大軍，便一敗塗地了。

閱讀心得

【第573篇】余玠設立招賢館。

宋朝聯合蒙古人滅金，是在宋端平二年，正是宋理宗親政第二年，當時的宰相鄭清之，胸有大志，希望澄清天下，爲國家帶來復興的氣象。

此時淮東制置使趙范、趙葵兩兄弟以爲蒙古軍隊北返，汴京洛陽一帶，地方空虛，不如趁此機會收取中原，還我河山，因而提出『規復三京之議』（三京指的是歸德、汴京與洛陽），宋理宗也欣然同意。

但是，宋朝軍隊畢竟不是蒙古人的對手，所謂規復三京之議完全失敗，並且大遭蒙古人的責難，蒙古太宗窩闊臺遣使怪罪宋朝敗盟，宋朝拚命解釋賠小心，當然不能獲得蒙古人的諒解，從此以後，蒙古積極南侵，雙方展開長期的戰爭。

這段期間，宋朝僅有兩名大將，一是守襄陽的孟珙，一是守四川的余玠。孟珙是繼岳飛之後，難得的戰將，余玠則是超時代的天才軍事家。

余玠是湖北蘄州人，他少年時代，是一個出身不甚高貴，機警富於文才，而又有點兒桀驁不馴，帶幾分叛逆性的太學生。

白鹿洞書院之中，老師同學們對余玠的印象是，他不拘小節，喜歡出出風頭，任才使氣，有時也愛坐坐茶館，發發牢騷，擺個龍門陣。

有一日，余玠在茶館與朋友聊天，不曉得為了什麼原因，與賣茶的老

招賢館

頭兒吵了起來，彼此的火氣都很大，互相拉扯之間，竟然把賣茶的老頭兒失手給打死了。

既然出了人命，白鹿洞書院也讀不下去了，余玠便收拾行囊，到達當時臨近蒙古佔領區的前線，從軍避罪，被趙葵延入幕府，趙葵很欣賞余玠英才豪爽，又會作詞，兩人相處得極爲融洽。余玠曾經出兵援助安豐，戰敗蒙古立了大功，獲得宋理宗召見慰勉。

余玠對理宗提出兩項建議，第一，應當使全面上下培養認眞確實的工作態度，第二，應當改變重文輕武的觀念。余玠感慨的說：『今天官宦子弟、知識份子或小康之家，這些人一旦從軍當兵，就被看成噲伍。』所謂噲伍意思是說：韓信不屑與樊噲爲伍，就是社會上一般大衆不屑與這些粗人爲伍。

宋理宗很欣賞這個年輕人的率眞，他稱讚道：『卿議論人物，頗不尋常，可以獨當一面。』

於是，宋理宗就讓他獨當一面，赴四川擔任宣諭使。余玠遂興高采烈前往四川，準備大展鴻圖。

余玠到達四川以後，首先提出一套很有遠見，又很民主的招攬四方英才的計畫，那就是在帥府旁邊，設立一個『招賢館』，邀約天下奇才異能之士，聚首一堂，共商重建巴蜀的計畫。余玠這個先聲奪人的構想，頗有幾分類似章回小說與傳說中的招賢榜。

他並且指示，招賢館的建築，無論氣派、規模與設備，一切一切都向元帥府看齊，大有戰國時代孟嘗君的作風，凡是應邀前來者，余玠必然親自接見，即使來人不是什麼眞正賢士，提不出什麼高明的意見，余玠也奉上一些小小土產，聊表謝意。

中國讀書人最重視『禮賢下士』四個字，余玠既然這般有誠意，許多隱士也就願意出山了。其中四川冉璡、冉璞兄弟，與三國時代諸葛亮一般，高臥不仕，乃絕代奇才，這兩位伏龍鳳雛過去也曾屢次被邀，都以山野之夫不足論天下事而推辭了。

冉氏兄弟聽說余玠的賢德，互相道：『這個人倒是可以一談的。』於是相偕來到招賢館。

余玠久聞冉氏兄弟的才名，今日一見，兄弟兩人均是氣宇軒昂，丰姿俊爽，大喜道：『久仰！』急急迎入館內，冉氏兄弟不多讓，安之若素便在招賢館待下來了。

余玠等了又等，盼了又盼，足足盼了好幾個月，冉氏兄弟像個悶葫蘆，一句話也不說，眞是傷腦筋。余玠等不住了，備了一桌上好的酒菜，宴請招賢館內賢士。

進餐之時，余玠講了一大堆客氣話，像是『久慕先生，無緣請益』、『久聞二公大名，幸得一談。』冉氏兄弟只是一逕的喝酒、吃菜，沉默不語，場面尷尬。

酒宴散了以後，余玠沮喪的回元帥府，心中洩氣得很，忽然想起『劉備三顧諸葛亮於草廬之中』的歷史故事，又精神抖擻自言自語：『原來，他昆仲二人是要試驗我待士之禮。』

第二天，余玠特別派人再把冉氏兄弟迎入貴賓室，與其他人隔開，並且派人暗暗觀察，看他們平日都做些什麼。

被派去觀察的使者回來稟報：『十分的奇怪，這兩兄弟終日不言不語，只是互相對坐，在地上用泥沙畫一些山川地形，畫了以後，抱膝長坐，或者背著手走來走去。』

余玠心忖，這倒古怪也，再等一等看吧。

如此又過了整整十天，要換了別人早沉不住氣了，余玠仍然按兵不動，有一天，冉氏兄弟終於開了金口，託人報告余玠，他們準備與余玠長談，但不希望有外人打擾，余玠興奮得很，該來的終於來了。

閱讀心得

【第574篇】

余玠設防釣魚山。

冉氏兄弟到了招賢館之後，一待數月，沉默是金，余玠正感納悶，冉氏兄弟忽然求見……。

冉氏兄弟鄭重的對余玠說：『我們兄弟承大帥殷勤相待，內心十分感激，我們是眞的希望對治蜀、守蜀有所貢獻，不願意同衆人一般，隨波逐流、虛應故事。爲今日西蜀打算，應當是遷移合城吧。』

一聽此言，余玠馬上霍地一躍而起，他親熱的握緊冉氏兄弟的雙手，再三說：『這正是我心中的構想，太好太好了。』又說：『玠早知兩位先生不是平常人物，你們的高見，我是絕不敢掠美的，我一定要上報朝廷。』於是，余玠立刻用快信，上報理宗，請求理宗予以重用。余玠到四川，本是理宗的意思，希望他能獨當一面，防守蒙古，由於君臣之間，有這份默契在，理宗馬上答應余玠的請求，即時下詔，以冉琎爲承事郎，以冉璞爲承務郎，把遷城之事，完全委託冉氏兄弟。

這個命令發表之後，衆人議論紛紛，都不了解爲什麼山野村夫，突然成了空降部隊，莫非有什麼特殊的人事背景？余玠告誡大家：『遷城的計畫，如果成功，全蜀賴以安定，如果不成，我余玠一個人負責，你們就不要多嘴多舌了。』但是，一些個眼紅的人，仍在吱吱喳喳，心懷不平，余

玠也懶得理會，排開眾人，拉住冉氏兄弟密談。

接下來的日子裡，余玠與冉氏兄弟忙著做沙盤推演，共同設計山城設防計畫，他們的構想是：蒙古騎兵南下，漫山遍野，疾如暴風，普通一般山寨無法防禦，只有任其宰割擄掠。

但是，四川不一樣，四川的地勢特殊，山群突起，山勢不但高聳壯麗，而且上有天池、神泉，可以建築城池，種植蔬菜，供給糧食清水，長期供養大量軍民，假如把山上建的新城與地面上舊有城池互相配合，那麼，居民平日住在山下舊城，把糧食衣物，預儲山城，一旦蒙古騎兵來了，立刻上山防守，山城有一切用品，可以支持較長的時期，等到蒙古軍隊撤退了，大家再搬到山下來，再恢復平日生活。

這套構想，是配合地理資源的國防計畫，與近代德國軍事學家主張的地緣政治學，利用天然資源的設防計畫，實在是不謀而合。

余玠由於在趙葵軍中擔任別動隊長，指揮游擊隊好長一陣子，他在淮北、河南一帶，看多了蒙古騎兵的厲害，很早就想利用天然地形、天然資源對付自天而降的騎兵。

冉氏兄弟是貴州人，熟悉四川的風土人情，英雄所見略同。

計畫確定後，余玠與冉氏兄弟跋山涉水，實地考察，最後決定，把合城遷到釣魚山上。釣魚山多懸崖峭壁，易守難攻，尤其正當涪江、渠江、嘉陵江三江之會，形勢險峻，工事堅固。

除釣魚山外，余玠又在雲頂、雲山、大獲、得漢、白帝、青居、苦竹設立七座山城，這八座山城，好比四川的八根大柱子，後人稱之為『巴蜀八柱』。

巴蜀八柱完成之後，蒙古再度攻擊時，果然發揮了極大效果，使得四川獲得長期的休養生息。

余玠不但是軍事專家，對於內政建設，也有一套辦法。當余玠初抵四川時，四川有位都統王夔以兇悍出名，他有一個外號叫王夜叉，有許多獨特的整人方法，例如用醋灌鼻、用水灌耳等。恃功而驕，桀驁不受節度。

聽說余玠到來，王夜叉又決定給他來個下馬威，他帶領兩百多位老弱殘兵去迎接，表示存心怠慢。

余玠看了，冷笑道：『久聞都統精兵，不想如此疲敝。』

王夜叉哈哈一笑：『我的兵不是不精，只怕亮出來，會讓你的隨員害怕。』接著王夜叉的兵隊表演了集合動作，旗幟精明，器械森然，果然不一樣。余玠倒沒給嚇倒，神態自若。

王夜叉卻吃了一驚道：『不料儒生中有這種人。』

余玠找了大將楊成商議。楊成說：『王夔在四川雖久，總不能與吳璘、吳玠相比，即以吳璘、吳玠之威名，他們後代吳曦一旦叛變，蜀人還不是殺了吳曦，何況四川人那個不恨王夜叉。』

於是，余玠找了夜叉討論軍事，夜叉剛一出門，楊成便單騎入了軍營，告訴大家，以後一切由他負責，眾人相顧愕然，繼而佩服楊成單槍匹馬入虎穴，眞是有種，相率拜賀，至於王夔他一入余玠營帳，便被一刀刺死，余玠果斷明快處理了王夜叉，贏得了一致好評。

會做事的人，難免會得罪人，當時左丞相方叔，聽了子姪們的讒言，說余玠治理西蜀，專制跋扈，有『無君之心』，中國古代皇帝最怕武臣專權，宋理宗即刻把余玠徵調入朝，就近看管，用余晦代替余玠治理四川，余玠一片忠心，落此下場，不多久暴病而卒，有人說他是仰藥自殺。

宋理宗寶祐五年，蒙古伐宋，元憲宗（蒙哥汗）親征，猛攻釣魚山的合州城，從二月打到七月，死傷慘重，怎麼也攻不下，蒙哥大汗突然暴卒於合州城下，相傳是中箭而死，蒙古諸將便載運蒙哥靈柩北走，據報傳到杭州，宋理宗這才想起余玠築城之功，追贈余玠官位。這座山城，不但戰死蒙哥汗，也延長了宋朝國祚二十年，余玠眞是有智慧的戰略家兼政治家。

閱讀心得

【第575篇】

蒙哥攻打合州城。

窩闊臺在位十三年，在他的手中，完成了消滅金國的任務，上報祖宗之仇，下雪國人之憤。他派拔都西征，揚威東北歐，使得斯拉夫、日耳曼兩大民族，聞蒙古而喪膽。

他別無嗜好，就是喜歡喝酒，耶律楚材曾經不止一次勸過他，最後，窩闊臺也是死於酒精中毒，死時只有五十六歲。遺命由皇孫失烈門監國，再由『庫里爾臺』決定新君，庫里爾臺是部族大會之意。

蒙古每逢君主繼位，總是會發生糾紛。原來，蒙古不像古代中國，有一個傳統的嫡長子繼承制度。不過，蒙古人的家族有一個習慣，特別重視長子與幼子，每逢衝鋒打仗，經常是長子掛帥，謂之『長子出征』，蒙古諸部族的戰爭，在滅亡一個敵人之後，第一件事，必須殺死敵人的長子，斷絕他的宗脈，這些都是重視長子的證據。

另外一方面，蒙古人又特別重視幼子，蒙古話幼子稱爲『斡赤斤』，斡赤斤的意思是守竈，也就是繼承家業。

成吉思汗的長子朮赤，是他妻子孛兒帖被蔑兒乞人俘虜之時，懷孕生下的，成吉思汗懷疑他不是自己的兒子，感情比較淡薄，因此，成吉思汗死後，幼子拖雷所得的兵馬遺產最多，並且由拖雷暫時監國，再依照蒙古

的習慣，召開部族會議，由庫里爾臺通過，共奉窩闊臺爲主。從此以後，成爲蒙古帝國一種慣例，凡是第一個君主去世，第二個君主繼位之時，必須要經過『庫里爾臺』的選舉。當然，凡是經選舉推奉的，必然限於成吉思汗的子孫。

現在，窩闊臺去世了，當他駕崩之時，他的兒子正分別東征遼東，西征西域，南征南宋，道路遙遠，一下子不可能趕得回來。失烈門只是一個小幼童，六皇后乃馬眞氏遂以皇后臨朝稱制。

乃馬眞氏信任一個名叫奧都勒合蠻的大臣，不但言聽計從，甚且將一切國政都委託給他，把蓋了御璽的空白聖旨也交給他，讓他隨便在上面亂塡。

老臣耶律楚材看了眼中冒火，想當初成吉思汗、窩闊臺都對他禮遇有加，他不能讓帝國敗在乃馬眞氏的手中，因此勸諫道：『天下者，先帝之天下，今欲紊亂，臣不敢奉詔。』

乃馬眞氏也潑辣的回了一招，她降懿旨說：『凡是奧都勒合蠻所下的聖旨，不聽命令者，斷其手。』

耶律楚材沒有被嚇著，他怒氣沖沖回敬：『國之典故，先帝悉委老臣，事若合理，自當奉行，如不可行，我死都不怕，何況是斷其手？』

結果，耶律楚材畢竟是年紀大了，皇后還沒下令斷他的手，他就活生生的被氣死了，他死了以後，乃馬眞氏的火氣還沒有消。

這時，又有小人來打小報告，對乃馬眞氏說：『耶律楚材前前後後做了二十年宰相，天下的貢賦，一半都到他家裡去了。』

一聽此言，乃馬眞氏立刻下令：『搜！』結果搜了半天，只有十多具琴箏，一些金石遺文，根本不値幾個錢。

耶律楚材一生光明磊落，完全是中國書生本色，窩闊臺每次見他開口陳事，總要打趣道：『你是不是又要爲百姓訴苦了！』

乃馬眞氏稱制了四年，實在撐不下去，諸王們也都回到了和林，召開庫里爾臺，公推窩闊臺的長子貴由爲可汗，是爲蒙古定宗。定宗即位三年，一命嗚呼，再度召開庫里爾臺，拔都仗著兵多勢衆，強立蒙哥繼位，是爲蒙古憲宗，蒙哥是拖雷的長子。

蒙哥是個雄武的君主，屢次立下彪炳的戰功，他即位不久，親自率領大軍南征宋朝，這次蒙古南下，主要是爭奪幾個重點，因爲這幾個重點都是戰略要害，如果不拿下，便會隨時威脅蒙古軍隊的後方，使蒙古無法穩定戰場，但是，蒙古若要攻下這些據點，卻不是一件容易的事。

當時，四川最重要的一個軍事中心，不是成都，而是上一篇中，我們所介紹的，余玠修築在釣魚山的合州城，合州的守將爲王堅，蒙古人曾經派遣使者前來招降，王堅不但不答應，反而把使者給殺了，好厲害！

蒙古兵大怒，積極進圍合州，合州在余玠與冉氏兄弟的合力策畫設計之下，地勢險峻，建造得極其堅固，蒙古的騎兵被山勢所困，完全沒法子發揮力量，蒙哥大汗不信邪，對準釣魚山猛攻猛打，從開慶元年二月裡，一直攻到七月中，死傷慘重，竟然就是攻不下。

釣魚山有水源，有糧草，有軍械，蒙哥大汗望山興嘆，十分的不服氣，他與猛將汪德臣商量，非攻下不可。於是，汪德臣挑選敢死隊一百名，在一個夜黑風高的晚上，登上了合州外城。

王堅也不是省油的燈，他親自督兵接戰，從黑夜到天明，雙方僵持不下，汪德臣在城下大喊大叫：『王堅你聽著，我來是爲了你們合州城全城軍民的性命，我勸你早日投降！』

話還沒說完，一塊大石頭翻滾落下，不偏不倚，打中汪德臣的腦袋瓜子，血流滿面，重傷身死。蒙哥見愛將身亡，親自督陣，城上亂箭齊發，蒙哥當場中箭而死。余玠的山城徹底發揮了功能，可惜余玠未能親眼看見。

閱讀心得

【第576篇】

忽必烈爭奪汗位。

蒙古蒙哥可汗大舉親征南宋，久攻不下，結果在釣魚山下被亂箭射死。

蒙哥這一次，倒是幫了宋朝一個大忙，卻也讓奸臣賈似道又有了可乘之機。

原來，在蒙哥猛攻川西之際，蒙哥的四弟忽必烈也正在瘋狂進擊鄂州（湖北武昌），守將張勝戰死，城中死傷一萬三千人，朝廷催促賈似道進兵，賈似道怕得要命，祕密派遣使者前往忽必烈營中求和，當然，這件事宋理宗完全不知道。

忽必烈認爲鄂州指日可下，不願意求和。忽然之間，軍中傳來噩耗，他那壯得像牛一般，只有四十多歲的長兄蒙哥汗居然暴卒，忽必烈原是一個有野心，也有才識之人，不免動了想爭取汗位的念頭。

正在此時，又得到後方的消息，說是蒙古諸王準備謀立老六阿里不哥爲大汗，忽必烈心裡亂糟糟的，再也沒有心情積極進攻鄂州了。

忽必烈的智囊郝經建議道：『如今國內空虛，人人莫不覬覦汗位，阿里不哥已代行皇帝之事，願大王以社稷爲念，與宋朝議和，迎蒙哥大汗靈柩早日回到和林。』

忽必烈深以爲然，於是，答應了賈似道的要求，批准他所提的條件：宋朝皇帝上表稱臣，劃長江爲界，江北盡歸蒙古所有。歲納銀幣二十萬兩，

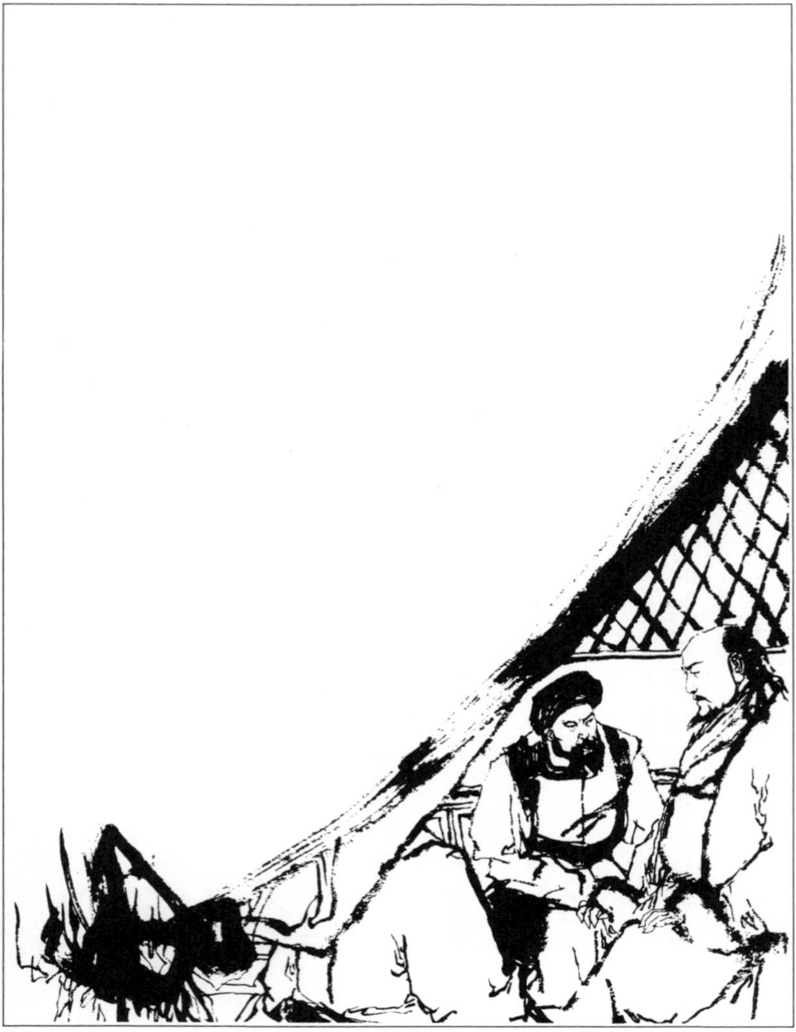

絹二十萬匹，而後蒙古退兵。

賈似道正在一籌莫展，不料有此一變，忽必烈匆匆忙忙，慌慌張張拔營北歸，眞是老天幫忙也。至於說私行求和，稱臣納幣之事，完全是他個人畏敵媚敵的主張，他事先既未請示，事後也沒有報備，一路隱瞞到底，反正中國古代資訊不發達，天高皇帝遠，宋理宗根本不會知道。

爲了使『劇情』再逼眞一點，賈似道趁著蒙古大軍撤退，有幾個落單的尾隊，由於缺乏防範，被賈似道給俘虜了，賈似道就開始大作文章，僞稱：『諸路大捷，解圍鄂州，肅清江漢敵軍，使社稷轉危爲安，皇朝永固。』

宋理宗接到捷報，高興得眼淚都要滾出來了，認爲賈似道對宋朝有再造之功，特晉升賈似道爲少師，封爲衛國公。不但如此，當賈似道回朝之日，特命百官集體在臨安郊外恭迎，並且下詔：『賈似道爲朕股肱之臣，奮不顧身，吾民賴之而更生，皇室有同於再造。』眞是荒唐透頂了。

話分兩頭，忽必烈接受了郝經的建議，風塵僕僕班師回朝，他回到燕京，本來預備召集一次『庫里爾臺』，以便選舉大汗，但是，諸王之中，許多人都沒有遵從，這個會議因爲法定人數不足，沒能開成。

忽必烈的左右勸他：『先發制人，後發制於人。』忽必烈斟酌利害，就在開平，自立爲大汗，是爲元世祖。由於世祖的即位，沒有經過庫里爾臺，依照蒙古一貫的制度，他的大汗是不合法的，老六阿里不哥表示強烈的不服，另行召集庫里爾臺，選舉阿里不哥爲大汗，這一會兒，便有兩個大汗了。

阿里不哥雖然有親王支持，這些親王都是跋扈守舊的貴族，沒有多大本事。忽必烈帳下則網羅了許多金朝、宋朝的精英，足智多謀，英武卓絕。雙方一交手，阿里不哥就敗下陣來，不過，也打了足足五年的內戰，直到景定五年，內戰才完全停止。

忽必烈也在景定五年，正式建都於燕京，改稱燕京爲中都，並且改元爲至元元年。這一年，可以說是蒙古入主中原之始，也就是在同一年，宋朝宋理宗去世，度宗即位。至元八年，蒙古正式建國號爲元。

忽必烈即位以後，立刻派遣郝經正告南朝宋國，蒙古大汗已經臨朝，並請即刻履行鄂州城下之盟，劃江爲界，納歲幣二十萬兩，絹二十萬匹，以及上表稱臣。殊不知賈似道壓根兒就沒有把鄂州之盟上報朝廷，反而謊報軍前大勝，還獲得了加官晉爵，如今，蒙古使者到來，他該怎麼面對漫天大謊？

當郝經一行經過眞州（江蘇省儀徵縣）之時，賈似道密令眞州守將把郝經軟禁起來，阻止他前往臨安，決心欺瞞到底。

這郝經原是一位儒生，博學多才，確實抱有一番悲天憫人的苦心，一心一意希望促成南北和平，在他奉命之始，便有人認爲此行任務艱困，勸他不妨託病辭職。郝經不肯，他說：『兵連禍結，爲時已久，今主上既願通兩國之好，我願意一蹈不測之險。』

郝經被軟禁之後，還自營中寫了一封信給宋朝皇帝，表示『願意效法魯仲連，排難解紛。』說明和議的功用，不僅爲蒙古，更爲了宋朝，這些書信，全都被賈似道壓置。

元世祖左等右盼，還是沒有郝經的消息，後來聽説郝經竟然被宋人所扣留，大爲震怒，下詔準備伐宋，並且責備宋朝：『你們平日以衣冠禮樂著稱，豈可如此？待秋高馬肥，將水陸並道而進，以爲問罪之舉！』

郝經被扣之後，宋朝人又煽動李璘叛變蒙古，正好此時，宋朝大將劉整投降蒙古，劉整一五一十告訴蒙古主，宋朝如何腐敗，賈似道如何張牙舞爪，大失人心，使得蒙古盡知宋朝人的虛實，於是忽必烈便決心南下伐宋。

閱讀心得

【第577篇】

呂文煥苦守襄陽。

在上篇之中，我們說到，忽必烈攻打鄂州，聽說蒙哥汗在釣魚山下被亂箭射死，急忙趕回蒙古爭奪汗位，因而答應賈似道求和的條件。忽必烈登上汗位以後，派郝經前來宋朝，要求宋朝履行承諾，賈似道擔心穿幫，一不做二不休，竟然把郝經給扣留下來。

忽必烈知道此事，大爲憤怒，一連派出使者追問詳細情形，卻始終沒有下文。於是，忽必烈下詔南征：『朕即位以後，爲顧及兩國生靈，一直等待信使還歸，達成和議，如今又過半年，宋朝一向以禮樂衣冠之國自居，理當如此嗎？待秋高馬肥，水陸並道而進，以爲問罪之舉……。』

宋朝大將劉整，擔任潼州安撫使，一向爲賈似道所猜忌，爲了自保，他帶了十五個郡投降蒙古。蒙古過去南侵不只一次，歷次戰果也很輝煌，爲何沒有一舉撲滅南宋？那是因爲還不甚明瞭宋朝的虛實，等到劉整倒向蒙古，把宋朝朝廷的腐敗，軍事佈防重點和盤托出，忽必烈大樂，決心一次撲滅宋朝，永絕後患。

劉整向忽必烈報告，若要滅亡宋朝，必須先取得襄陽、樊城，然後下漢水，入長江，吞併中國。忽必烈採納了劉整的建議，派遣劉整與阿朮共同下襄陽。

襄陽原先的守將是呂文德，他是賈似道的親信，賈似道曾經祕密唆使呂文德，假報蒙古入侵，然後，他『剛巧』在此時抽身引退，回到故鄉越州安養天年。這正是忽必烈爭汗位之時。

新上任的小皇帝度宗與太后嚇慌了手腳，連連下手詔，請賈似道趕緊回朝。賈似道回來之後，他一手導演的蒙古入侵也自然平定了。

其實，度宗對賈似道的委曲求全，早已超過君臣界線，他不但尊稱賈似道爲『師臣』，命令朝臣稱之爲周公（就是古代輔佐周成王，孔子希望夢見的周公），每當賈似道撒嬌不幹了，他就趕緊雙膝落地，著急的哀求，賈似道知道朝廷少不了他，就每年定期演出。

既然賈似道擺出來的態度是：老爺我想辭官回故里，皇上硬要勉強我留下。那麼，賈似道平日一舉一動，皇帝自不便多干涉，睜一隻眼閉一隻眼。於是，賈似道終日流連於『半閒堂』，把玩『多寶閣』中的奇珍異寶，甚且，多半的時日，賈似道在西湖葛嶺之中納福，每隔個五、六天才一葉扁舟回到朝廷轉一轉（賈似道的故事本書前面有詳細介紹）。

阿朮與劉整，自至元四年到六年，整整打了三年，沒有攻下襄陽，此時，呂文德已死，他的弟弟呂文煥繼任，呂文煥眞是一位不可多得的人才。忽必烈誓言必取襄陽，他派出援兵，在襄陽的西南築了一道長長的圍牆，完全隔絕了襄陽通往後方的道路，在這個漫長的三年之中，呂文煥不曉得上書多少回，請求救援，朝廷就是置之不理。

賈似道是存心欺瞞到底。但是，也有朝中正直的臣子悄悄報告度宗，度宗一直不敢開口問，等著賈似道報告，這一等就是三年整，度宗的耐性眞是好啊！

有一天，度宗鼓起勇氣詢問賈似道，賈似道仍然一口咬定沒這件事，並且要追問是誰『造謠』。

度宗眞該板起臉孔，狠狠訓斥賈似道『大膽，欺君』，在中國傳統君主高高在上的觀念下，賈似道多少是會有點兒畏懼的。但是，度宗怕死了，他不敢，他像犯了錯的小孩子一般，慚愧的低下頭，小聲的說：『一個女嬪講的。』

接下來，女嬪被殺，朝廷之中噤若寒蟬，沒人有勇氣開口。

賈似道曾派出李庭芝，擔任京湖制置大使，李庭芝一心一意想解襄陽之圍，助呂文煥一臂之力，但是范文虎從中作梗，不准李庭芝出兵。

這范文虎頗有來頭，他是賈似道的乘龍快婿，一個大膿包，他寫信稟報岳父大人：『我正準備領兵數萬入襄陽，一戰可平，事成則歸功於恩相矣。』賈似道看完信，十分嘉許女婿的孝心，李庭芝更動彈不得了。

范文虎若是眞正出兵也罷了，但是，他一面阻止李庭芝有所行動，一面又忙著與妓女飲酒、猜拳、打馬球，完全與岳父大人一個樣兒。

可憐呂文煥望眼欲穿，日日夜夜在盼救兵，進入了第五個年頭，城中發生了糧荒，官軍既解不了襄陽的圍，民軍張貴、張順兄弟卻抱著必死之心，準備了百艘戰船，船上放置火槍、大砲、巨斧、勁弩，在月黑風高時出擊，可惜，全面受挫。

襄陽城中一片淒涼，人民沒吃的，也沒穿的，到了後來，竟然只能用會子（紙鈔）做衣服，呂文煥每次巡城，必定對著南方哀哀痛哭，他不了解爲什麼臨安政府整整五年見死不救？當呂文煥聽說，賈似道很忙，忙著『軍國大事』，無暇理會襄陽之圍，而他所謂的軍國大事，是和一大群鶯鶯燕燕的妓女，一塊蹲在地上，觀看鬥蟋蟀賭輸贏，眞是差一點活活氣死。呂文煥也不了解，爲什麼皇帝袖手不管，難道皇帝不明白，呂文煥是在拚命保大宋江山。

賈似道知道襄陽危急，又自導自演一齣戲，他自己請求巡邊，一解襄陽之圍，然後又暗中要諫司上書慰留，偏偏這個窩囊皇帝度宗也就讓他留下。

最後，蒙古人在城下喊話：『你們守孤城守了五年，也對得起宋主，如果投降，我們答應不屠城。』呂文煥萬不得已之下投降蒙古。而賈似道還怪度宗道：『臣屢次請求行邊，都是陛下不許，若是准許，襄陽又何至於失守？』眞是把自己的罪過全部推到皇帝的身上，中國歷史上還很少看到這種君臣。

閱讀心得

【第578篇】

伯顏大舉伐宋。

在上一篇中，我們說到，呂文煥苦守襄陽五年，屢次請求救援，賈似道不理不睬，忙著鬥蟋蟀的『軍國大事』，呂文煥彈盡援絕，爲了保全襄陽城中百姓的生命，不得已投降蒙古，內心充滿了憤恨……

襄陽城陷，朝野都認爲范文虎戰敗，然後逃之夭夭，依理論法，俱應斬首。但是范文虎是賈似道的女婿，而且他專扯李庭芝的後腿，這是賈似道與范文虎之間的『默契』，豈可隨便說斬就斬，因此僅是降了一級，意思意思，改知安慶府（安徽省懷寧縣）。

監察御史陳文龍上書：『文虎失襄陽，猶使知安慶府，是當罰反而賞也。』陳文龍的話不中聽，被貶出臨安，到撫州做外官去了，陳文龍的表現，代表中國古代御史的嶙峋風骨。

忽必烈得到襄樊之後，命伯顏爲元帥，打鐵趁熱，實行滅宋大計畫。伯顏相貌魁梧，善於用兵，當時擔任元朝中書左丞相。

劉整與呂文煥原先都是宋朝的忠臣，尤其是呂文煥若不是一腔忠誠，怎能苦撐五年，他兩人都是被賈似道逼上了不歸路，心中恨透了這個老賊，對宋朝的感情，也由濃濃的愛轉爲強烈的恨。爲了報仇，他兩人滅宋的意願竟然超過蒙古人，不但獻策獻計，並且自請爲先鋒。

咸淳十年，伯顏大軍南侵，由襄陽渡江，攻向鄂州，當時鄂州守將張世傑的城防異常堅固，戰船連鎖，砲弩齊備，元軍卻一舉攻破，使得南宋首都——臨安震驚。由於長江沿岸州郡守將，幾乎都是呂文煥兄弟的舊部，呂文煥的經驗告訴他們，死守也沒有用，宋朝朝廷根本不會答理，既然早也是降、晚也是降，還不如早早投降，給呂文煥長官一個面子，所以一個個望風投降，不戰而陷。

其中，守江州（九江）的知州呂師夔是呂文煥的姪子，非但立刻繳械，並且設宴於庾公樓，擺出上好的酒菜，還選了兩名美麗的宗室女，打扮得雍容華貴，獻給伯顏享用，卻被伯顏刮了一頓鬍子：『我奉了天子之命，興義師，開罪於宋朝，你們豈可用女色來動搖我的意志？』

元軍過了江州，到了安慶府，那位一直被賈似道庇蔭的范文虎，看到老丈人已走到了窮途末路，沒什麼可以指望的，於是獻出了安慶城，投降了伯顏。

這一連串的噩耗傳到了臨安，度宗又憂又懼，情急之下，得了重病，不久便一命嗚呼，結束了被賈似道玩弄於股掌之上的痛苦生涯。他的兒子趙㬎（㬎讀顯）才只有四歲大，由謝太皇太后聽政，一切軍國大事，當然還是由賈似道做主。

太后臨朝、鄂州失陷，中外人心惶惶，於是太學生與群臣聯合上疏請願，說是：『事到今日，非師相出馬不可。』尤其上一回，襄陽失陷，賈似道把一切責任推到度宗身上，怪度宗不讓他巡邊，似乎只要賈似道上戰場，所有困難就迎刃而解。

賈似道明白無法再踢皮球了，遂以太皇太后詔命，任命賈似道爲都督中外諸路兵馬，發庫金十萬兩、銀五十萬兩，浩浩蕩蕩出發。賈似道是紙老虎，一路上心驚肉跳，他最怕碰到劉整，找他算老帳，誰知劉整因爲軍功比不上呂文煥，一怒之下竟然死了，賈似道好樂，他說：『我這人就是命好，天助我也。』於是，抽調各路精兵十三萬，戰船二千五百艘，到達蕪湖。

江淮招討使汪立信與賈似道在蕪湖相見，仇人相見，分外眼紅，汪當初曾經寫信給賈似道，提供兩個策略，信中說道：『假如，你不能接受這兩個妙計，你不如準備銜壁輿櫬向蒙古人投降吧！』

賈似道看完信，揉成一團，忿忿的說：『這個瞎賊如此胡言亂語，看我治一治他！』由於汪立信是一隻眼，所以賈似道惡毒的罵他爲瞎賊，把他貶到蕪湖。

這一會兒蕪湖相見，賈似道乾笑兩聲道：『當初悔不聽公言，以致國事敗壞至此，慚愧慚愧，如今公尚有何高見？』

汪立信瞪了一眼賈似道，莫可奈何道：『太師，我這個瞎賊現在一句話也說不出來了。』沒多久，汪立信慷慨悲歌，擊案痛哭，最後用雙手自己扼死自己，壯烈成仁。無聊的賈似道竟然把汪立信原先的策略，差人稟報伯顏，請伯顏殺汪立信的妻小。伯顏說：『如果這個策略被採用，我也到不了江南。』反而尋訪汪立信的家屬，予以厚恤。

賈似道雖然帶了一大批軍隊，並不準備作戰，他還是用老法子，希望求和，派出使者攜帶福建蜜柑、廣東荔枝到了伯顏大營求饒，說是宋朝願意遵守當年諾言，割地稱臣納貢。

蒙人認爲宋人是不守信用的人，根本不予理會，伯顏回答：『在我大軍未渡江之前，還可談和，今日沿江州郡，全歸大元版圖，還和議什麼，如果一定要和議，你親自來談。』

賈似道哪敢深入虎穴，他溜到了揚州，一面請求朝廷遷都，公卿大夫們認爲，遷都也沒用，蒙古人還是會追來的，此時臺諫官交相彈劾，太學士請求誅除賈似道，太皇太后仍然以婦人之仁爲他說情：『賈似道勤勞於理宗、度宗，及今三朝，安忍以一朝之罪，失待大臣之禮？』

這話一點不通，輿情一致攻訐，太皇太后只好免賈似道一切官職，謫爲高州團練使，由會稽縣尉鄭虎臣押解。

鄭虎臣正與賈似道有不共戴天殺父之仇，到了南劍州，他問賈似道：『這裡的水很清，你爲何不死在這兒？』賈似道大驚：『太皇太后許我不死，必須有詔才能殺我。』鄭虎臣實在耐不住，一刀把賈似道給殺了，可惜遲來的正義不是正義，賈似道雖死，卻已斷送了宋朝的江山。

閱讀心得

【第579篇】

文天祥高中狀元。

在上篇中，我們說到，賈似道惡貫滿盈，終於被殺，大快人心，然而，宋朝卻岌岌可危，朝廷號召天下勤王。所謂勤王指的是：當王室有難之時，發兵援救。

此時，蒙古軍隊勢如破竹，宋朝方面，由於賈似道執政三十年，全國充滿了莫可奈何的無力感。因此，朝廷在望眼欲穿的情形下，地方上卻只來了兩路兵馬，一是張世傑，一爲文天祥。

張世傑是蒙古大將張柔之子，張柔原是漢人，卻爲蒙古所重用。張世傑不滿意父親的作爲，投効宋朝，曾經隸屬於呂文煥之兄呂文德帳下，他在歷史上留下彪炳千古的紀錄，我們以後再談，先介紹文天祥出場。

文天祥是中國了不起的民族英雄，在他身上，我們可以看到，古代知識份子如何承擔歷史責任。

文天祥，字宋瑞，江西省吉水縣人。他是一個非常漂亮的美男子，根據宋史的記載，文天祥體貌豐偉，秀眉長目，皮膚晶瑩如玉，顧盼之間，光彩照人。不論誰看到他，都會眼睛為之一亮，集外在美、內在美於一身。

文天祥出生於宋理宗端平三年，他一生最受影響的人是他的父親文名儀，人稱革齋先生。革齋先生和許多傳統的讀書人一樣，最愛竹子的高風

亮節，他曾經修建一座『竹居』，帶著文天祥在此讀書寫字。

竹居之中藏書極爲豐富，經史子集、天文地理醫卜無所不包。革齋先生喜歡鈔書，很有『手到』的功夫，曾經著有《隨意錄》二十卷、《寶藏》三十卷，文天祥的學識基礎，多半得自父親的教誨。

革齋先生教兒子讀書，也教兒子下象棋。初學之時，文天祥當然不是父親的對手，久而久之，棋藝竟然超過父親，閒來無事，父子對弈，廝殺一盤，其樂無窮，文天祥還寫過棋譜流傳後世。

文天祥一生中，經歷許多危險，他總是想到象棋之中，經常是險棋致勝，因此，養成了他鍥而不捨的精神，不到最後一著棋，絕不輕言放棄，所謂『世事紛紛一局棋，輸贏未定兩爭持』，是文天祥從棋中悟出的人生哲理。

在文家的家教之中，最重要的一環是培養忠孝節義的觀念，在他很小的時候，當他看到學宮裡祭祀歐陽修、胡銓等人的像，就曾經大發豪語：『人生在世，如果不能和這些先賢一般，被後世崇拜，那就不能算是一個大丈夫了。』（歐陽修和胡銓的故事本書前面都介紹過）

文天祥十八歲那一年，他參加本縣鄉校考試，名列第一，此時江萬里先生創設白鷺洲書院，禮聘當年高中進士的歐陽守道擔任書院山長（當時書院的負責人稱爲山長），革齋先生把文天祥送到該書院去讀書。

歐陽山長見文天祥聰慧過人，文章出衆，長得也是一表人才，特別器重，親自指點，文天祥一年下來，考取了郡貢士，在大家鼓勵之下，赴京參加科舉考試。

科舉的項目有很多種，其中最被人們看中的是進士科，進士科的考試範圍包括：『詩、賦、論』各一首，時務策五道，『帖經』十帖（帖經是把經文掩貼一部分，令考生默記，相當於我們今天的填空題），另外，還有『墨義』十條，墨義是經義的解釋，多半是出自春秋或者禮記。

革齋先生親自帶著文天祥與他弟弟文天壁一同赴臨安（杭州），參加會試。兄弟二人同被錄取。接著，又參加集英殿的廷試。

廷試的主考官是淳祐元年進士王應麟，文天祥原列名第五，可是王應麟看到文天祥的試卷，驚喜若狂的捧著試卷去見理宗，奏道：『寫這篇試卷的人古誼若龜鑑，忠肝如鐵石，臣爲國家有此人才，爲皇上賀。』

理宗看過試卷，也頻頻點頭。其實，文天祥應考當天，身體狀況並不佳，參加廷試的前兩天，不小心吃壞了肚子，應考之時，幾乎站都站不起來。但是，他在殿廊接到題目之後，運筆如飛，完全忘卻了身體的不適，到午後就完成了萬字長言。

理宗不但欣賞文天祥的文章，並且說：『文天祥，此天之祥，文之瑞也。』因此，文天祥又字宋瑞。在這一場考試之中，文天祥的弟弟文天壁落榜了。文天壁後來投降元朝，受任爲臨江路總管兼府尹，文天祥十分難過，曾經寫了一首詩：『兄弟一囚一乘馬，同父同母不同天。』

在這一年（寶祐四年）登科錄中，一甲第一名文天祥，二甲第一名謝枋得，二甲第二十七名陸秀夫，三人都是宋朝末年的忠臣，忠節集於一榜，這是千古佳話。

文天祥高中狀元，年方二十一歲，爲白鷺洲書院和江萬里、歐陽山長增添了不少榮譽。

在中國古代，沒有任何事比考上狀元更光榮的。皇帝唱名之後，立即賜給袍、帽、笏，並且賜宴。狀元必須在宴會中呈謝恩詩，宴畢出來，騎上駿馬，迎入狀元局，接受官式禮儀款待，並且在狀元局集會中招待賓客。

文天祥因爲勤學努力，得到這項殊榮，可惜他最敬愛的父親革齋先生，卻不幸在他中狀元以後第四天病逝了，年方四十三歲，文天祥哀痛莫名。不過，革齋先生能夠親眼看見愛兒高中狀元，也算含笑以終了。

由於文天祥是狀元及第，他對於國家更有一份責任感，所以日後經常自稱爲狀元宰相，提醒自己要爲國家盡忠，爲民族盡孝。

閱讀心得

【第580篇】

江萬里教訓賈似道。

文天祥高中狀元，可惜陪考的父親革齋先生，卻在他狀元及第後第四天病逝。

於是，喜事還沒有辦完，文天祥急急忙忙與弟弟文天壁，自臨安扶護父親的靈柩歸葬吉州故里，並且作『先君子革齋先生事實』一文，以誌哀思。

宋朝是一個提倡禮教的時代，非常重視喪制，尤其重視人子的三年之喪，一般做官的除非有特殊情形，不得起復，宋史中記載守喪盡哀的孝子極多，凡是讀書知禮的士大夫，大都能夠嚴守孝道。

文天祥是個最有儒家思想的讀書人，而且父子情深，當然嚴守喪制之禮。在這個居里守制的三年之中，他除了在竹居之中閉門讀書之外，並且幫他小一歲的弟弟文天璧補習功課，他雖然高中狀元，文璧沒有考取殿試（廷試），這個做哥哥的始終耿耿於懷。

文天祥喪期滿後，頭一件事便是帶文天璧赴臨安應試，這一次，天璧也考中進士，文天祥則由朝廷任命爲寧海軍節度判官。

文天祥狀元及第第四天就因父喪請假，可謂官運不濟。然而他志在做大事，不在做大官，因此，新官上任頭一遭，便把砲火轟向董宋臣。

董宋臣人稱董閻羅，是個無惡不作的大奸臣，他與丁大全聯手出擊，舞弊弄權，丁大全後來被正人君子逐去（本書前面講過丁大全的故事），但是董宋臣一根寒毛也沒損，照舊矇上欺下。

二十四歲的文天祥，天不怕地不怕，以『勅賜進士及第文天祥』的名義，上了一道奏本，請斬董宋臣，他這篇奏本寫得相當厲害，他認爲：『不斬董宋臣以謝宗廟神靈，以解中外怨怒……敵人之心膽，何從而破？將士忠義之氣，何致激昂……』最後並且說：『如陛下以爲狂妄而誅之，臣固已自請一死。』表示他是抱著一死的決心來揭發董宋臣的奸佞。

結果，理宗既沒有殺文天祥，正其『妄言』之罪，但也沒有斬董宋臣，只是把這封奏疏擱置一旁。文天祥很是洩氣，辭去職務，回到故里。

返家不久，朝廷又派他擔任簽書鎮南軍節度判官廳公事，他仍然不想去，只想擔任祠祿，祠祿是道士觀的主管，一個不管事的閒散職務。

到了景定四年，文天祥調升著作佐郎，可是董宋臣竟然主管景獻太子府事，文天祥三年以前曾經上書，請求殺掉董宋臣，皇帝未理，如今董宋臣反而升遷，文天祥激於義憤，實在氣不過，再次上書，極言董宋臣大奸大惡，理宗還是不理，文天祥想想，這樣的朝廷再待下去，也沒有多大意思，他脾氣一發，摜了紗帽就一走了之。

此時賈似道崛起，他已經看出文天祥這個年輕人，充滿才氣，也極有個性，有意拉攏，特別派了人去追文天祥，反覆勸說，文天祥方才返回臨安，調任禮部郎官，再調江西提刑。

宋理宗在景定五年過世，度宗即位，文天祥又被調回京城，他傑出的表現受到度宗的激賞，在咸淳四年正月一個月之中，度宗派給文天祥三種職務：學士院權直、國史院編修官與實錄院檢討官。

賈似道眼見文天祥冒得太快了，暗中指使御史台的御史（相當於今日的監察委員），找出許多莫須有的罪，彈劾文天祥，這些御史全是仰承賈似道的鼻息，專打蒼蠅，所以文天祥這隻小蒼蠅，他做什麼官，御史都對他彈劾，於是，文天祥每次擔任一個新職務不久便被轟下去，文天祥就在京裡京外調來調去。

當他擔任祕書少監之時，發生了一件大事，引起賈似道強烈的不滿，這是咸淳六年的事。

賈似道對於度宗，好似貓耍老鼠，度宗對他備加禮遇，口口聲聲『師相』而不呼其名，賈似道爲了凸顯自己的重要性，每隔一段時日便鬧性子，嚷著要辭職歸故里，把度宗嚇得魂都飛了，再三懇求，然後，賈似道才勉勉強強的留下來。

有一回，賈似道又在玩這個遊戲，度宗哭著挽留他，先是准許他不必每天上朝，只要六日一朝，繼而又改爲半個月一朝，繼而又下詔准許賈似道入朝不拜，賈似道還不肯，文天祥看在眼裡，十二萬分的厭惡。

遠在四年之前，賈似道戲君之時，文天祥的老師江萬里就曾經看不過去，當面教訓賈似道，他一把扶起正準備雙膝落地的度宗，轉過身子斥責賈似道：『自古無此君臣之禮，陛下不可拜，似道不可再説要走。』

賈似道恨恨的瞪著江萬里，下朝之後，賈似道陰惻惻的向江萬里道謝：『今日若不是江公，我賈似道成了千古罪人。』

從此之後，賈似道對江萬里懷恨在心。江萬里是個學者，每次度宗談到經史方面的疑義，古人的事蹟生平，賈似道抓耳撓腮答不出來，江萬里總是對答如流，這件事，也讓賈似道心裡不平衡，所以找了一個機會，把江萬里趕了出去。

閱讀心得

【第581篇】

賈似道戲弄宋度宗。

在上篇之中，我們說到，賈似道獨攬大權，禍國殃民，卻還要時時戲耍宋度宗，以年老力衰爲理由，再三請辭，其實卻是一場表演，文天祥看在眼裡，反感極了。

更讓文天祥噁心的還在後頭哩，咸淳六年，賈似道舊戲重演，度宗又嚇軟了手腳，哭哭啼啼，哀哀懇求。賈似道還是不理，一副非走不可的模樣，度宗命令丞相馬廷鸞研擬慰留的詔書，馬廷鸞把這項任務交給了文采一流的文天祥。

此時此刻，襄樊吃緊，呂文煥快要苦守不住了，賈似道卻流連於葛嶺半閒堂之中，花天酒地逍遙快活，假如依文天祥自己的意思，賈似道要滾蛋，那是再好不過了，何必還要留住這個禍根。

奈何君命不可違也，文天祥勉強壓抑一肚子要噴出來的火氣，試著以皇帝的口氣，寫一封詔書，勸賈似道打消辭意。

在草擬的詔書之中，文天祥寫道：『先帝付託，大義所存，怎能因為疾病，而欲退休，所請不允許。』寫得平平常常，沒有過分溢美之辭，甚且還隱含有『大臣應當以國家安危為重』的教訓之意。

寫完之後，文天祥就直接呈給度宗了。

賈似道知道以後，狠狠的大發了一頓脾氣，第一、他聽說文天祥雖然是狀元出身，竟然不會作文章，沒有把賈似道的重要凸顯出來。第二、依照慣例，凡是呈給皇帝看的任何東西，都要先經過賈似道之手，文天祥竟敢不先呈給賈似道而直接呈送皇帝，簡直目中無賈似道，好大的膽子！

爲了讓文天祥領教他的厲害，賈似道把文天祥擬的詔書抽回，換上另外一篇肉麻兮兮，把賈似道捧得上天，彷彿朝廷一日沒有賈似道，就會轟然一聲塌下來似的詔書，並且指使臺臣張志立彈劾文天祥。

另外，賈似道又故弄玄虛，自己寫了一封信，慰留文天祥。

文天祥對賈似道這一套虛僞、做作的表演厭煩到了極點，整個朝廷汙濁的空氣讓他窒息。於是，整理行裝，回家去了。事實上，當他正準備離開之時，臺臣罷免他的命令也正好下來，這一年，文天祥只有三十五歲。

這一回，文天祥是下定決心，再也不做官，再也不蹚混水了。他回到故居，在富田村後面的文山上，蓋了一座漂亮的別墅，找來許多年輕貌美的歌妓，過著豪華享樂的生活。

有些人對文天祥的了解是，他在奔赴國難之前，原是個放縱、愛享受的公子哥兒，他們所指的，應該就是這一段時期的文天祥。許多事情，不能只看表面現象，文天祥是被賈似道逼出朝廷的，他雖然金樽對月，歌妓滿前，內心卻極爲痛苦，他在『山中感興』的詩中，曾經說到『山深人不知，塞馬誰得失，挑燈看古史，感淚縱橫發。』從這首詩中可以看出文天祥在對朝廷失望之餘，沉迷於享樂，實在是一種自暴自棄的反應，但內心仍然關懷國事，萬分痛苦，就像一個失戀的人常會藉酒澆愁、放縱自己的表現，而心中總忘不了那讓自己痛苦的情人。

人在山中，外面發生了什麼事，他一概不知，他想把國事丟開，把自己麻醉在詩酒之中。但是，他做不到，他掛心蒙古人隨時南下，他憂慮賈似道這老賊當道。

因此，咸淳九年，當朝廷任命他爲湖南提刑，他又『自毀諾言』的上任了。這時，他的老師江萬里也在湖南擔任安撫大使，師徒二人都是看不慣賈似道，被迫趕出朝廷，相見之下，不勝唏噓。

江萬里感慨萬千撫著文天祥的肩背道：『我老了，不中用了，我閱人多矣，以後拯救國家重責大任，看來就在你身上了，你要好好自勉。』

『是的。』文天祥恭謹的接受老師的教誨。

後來，江萬里在饒州（江西省鄱陽縣）故鄉，於蒙古軍攻破城門之日，縱身投入他早就預先鑿好了的水池中溺死。

文天祥在湖南提刑任內，斷獄公正，又肅清匪亂，造福百姓。這年冬天，他調知贛州，第二年赴任，也就在這個時刻，鄂州被元軍攻陷，朝廷下詔，號召勤王。

文天祥在贛南山區接到詔書，心情激動到達頂點，他立刻招募地方義士，又派遣使者回吉州故里募集民兵，一共召得一萬餘人，他變賣了吉州田產，供應這一萬多人的口糧，許多平素仰慕文天祥的英雄豪傑，也紛紛前來投靠。

當文天祥一行滿腔熱血赴國難，不料竟然有人指文天祥的軍隊是烏合之衆，無補大計，新上任的宰相陳宜中便命文天祥留守南昌，硬是給文天祥澆了一盆冷水。

當然，平心而論，文天祥所率領的，不是訓練有素的軍隊，他自己也是手無縛雞之力的白面書生啊，事實上，當他最初組織勤王軍隊之時，便有朋友好言相勸：『元兵長驅深入，足下以烏合之衆，前往迎敵，等於是趕著一羣羊入虎口也。』

文天祥笑笑道：『我何嘗不知強弱懸殊，但是，國家養育臣民三百餘年，一旦有急事，徵兵天下，竟然無一人一騎應募，我對此深惡痛絕，所以我自不量力，決心以身殉國，希望天下忠臣義士，能夠聞風而起，如此則社稷可保也。』

從這一刻起，文天祥就義無反顧走上『不自量力』的救國道路。

閱讀心得

【第582篇】陳宜中的人格改變。

文天祥抱著羊入虎口的心理，號召義士奔赴國難，不料，宰相陳宜中竟然下令，命文天祥留在南昌便可……

文天祥是一個意志堅強的人，不肯半途而廢，屢次上書，向朝廷提出要求。同時，各方志士也紛紛責難朝廷，不該到此關頭，仍然互相猜嫌，陳宜中逼不得已，只好勉強准許文天祥到臨安來，這一蹉跎，又浪費了三個月的時間。

陳宜中是繼賈似道以後，操縱南宋大權的靈魂人物。此人在年輕的時候，英氣勃發，頗有少年英豪的模樣。當他在做太學生的時候，丁大全秉政，禍國殃民，陳宜中不客氣的帶頭，上書攻擊丁大全，結果被丁大全削了學籍，卻傳承了宋朝太學生『風聲，雨聲，讀書聲，聲聲入耳；家事，國事，天下事，事事關心』的美好校風。

豈料，陳宜中進入官場之後，年事漸長，也慢慢『學聰明』了，尤其是學了賈似道那套虛僞的作風，懂得多享樂，少做事的爲官之道。因此，官運亨通，膽子卻愈來愈小，當年反對丁大全初生之犢的勇氣，早已消失得無影無蹤了。由此可見，一個人要執著到底，是多麼困難的一件事啊！

陳宜中學習到賈似道惟我獨尊的作風，國事已經糟到這般田地，他還

是事事固執己見，不肯與人合作，生怕別人搶去他的風頭，他不讓文天祥到臨安來，就是妒才的微妙心理。

由於陳宜中忙著與大臣鬧意見、發脾氣，文天祥的軍隊終於到達臨安時，文天祥發現朝廷早已亂成一團，互相指責，互不相讓，文天祥眞是痛心極了。

陳宜中跋扈的作風，引起朝臣不滿，左丞相留夢炎竟然不留一言，溜之乎也，連丞相都逃走了，其他官吏更不用說。陳宜中見此光景，知道自己撐不下去了，派柳岳到無錫求見伯顏，申述嗣君年幼（帝㬎只有四歲），且在父喪之中，請求元朝皇帝開仁慈之天恩。

伯顏對宋朝歷史知之甚詳，他冷笑一聲對柳岳說：『你朝的第一代皇帝趙匡胤不也是逼著周世宗的孤兒寡婦，取得天下嗎？你朝得天下於小兒，也當失天下於小兒，這是報應。』

德祐二年元月，元兵大舉進犯，陳宜中嚇得連夜出走，南奔溫州，太皇太后情急之下，派遣監察御史楊應奎，帶著降表與傳國之璽到了伯顏大營，哀哀討饒。

伯顏接受了降表，要求宋朝宰相陳宜中，親自到軍前，商議投降的事，陳宜中早已嚇跑了，張世傑不肯奉命投降，帶著他的軍隊南奔，太皇太后一籌莫展，慌忙之中，拉住文天祥收拾殘局。

在朝廷已經投降之後，太皇太后命文天祥爲右丞相兼樞密使，等於拖著文天祥當祭品。要是換了別人，一定不願意在這個時刻捲入漩渦，跳進火海。可是文天祥欣然就任，所謂有一分熱，發一分光。

文天祥是下棋高手，他常在棋譜之中，領悟到即或是殘局，往往也有起死回生的可能，因此，他還是抱持著一線希望。

恭帝德祐二年，正月二十日，文天祥奉命與左丞相吳堅等四人，出使元營。元朝大帥伯顏帳中，刀槍密佈，殺氣騰騰，威風凜凜，吳堅等人，早已嚇得大氣不敢吐，溫文儒雅的英俊小生文天祥，倒是篤定沉穩，一派泱泱大國的風範。

文天祥氣定神閒道：『我奉太皇太后之命，拜爲右丞相，今特來此與元帥談和。』

伯顏一向瞧不起宋朝人，今見文天祥如此斯文的模樣，更加輕蔑道：

『宋室已降，何和之有？』

『那是前右丞相陳宜中經手，我一概不知。』

『丞相來勾當大事，也好。』伯顏道。（宋朝人喜歡用勾當二字，此時當了卻解釋。）

文天祥侃侃而道：『本朝爲衣冠禮樂之邦，承帝王之正統，北朝是要以我朝爲與國呢？還是要滅亡我國家？』

伯顏頭也不抬的回答：『皇上（指忽必烈）有詔，社稷必不動，百姓必不殺。』

文天祥不放鬆道：『貴國數次與本朝使者有約，但無不失信。元帥既云，社稷不動，百姓不殺，請即刻退兵平江或者嘉興，然後共商歲幣與犒師之事。』

一聽此言，伯顏霍地站了起來：『退兵之事，談何容易。』

文天祥也不甘示弱道：『你要知道，淮、浙、閩、廣等地，均在我手，中國地方大得很，成敗利鈍尚未可知，兵連禍結，必自此始，到那之時，元帥將悔無及矣。』

伯顏大怒，而且大爲奇怪，過去宋朝使者，到了元營，無不眼淚鼻涕齊下，全是磕頭蟲，這文天祥莫不是吃錯了藥，氣得他翻眼罵道：『你國已降，還來嚕囌什麼，難道你就不怕死嗎？』

文天祥也動了肝火，他怒聲道：『我乃南宋狀元宰相，但欠一死報國，刀鋸鼎鑊，有何懼哉？』

伯顏很吃驚的望著文天祥，其他元朝將領面面相覷，誇一聲：『好，大丈夫。』

伯顏放走了吳堅等人，單獨把文天祥留了下來，予以軟禁，口上卻客氣的說：『今日之事，當與我仔細商量，不得不留你數日。』

閱讀心得

【第583篇】文天祥被困元營。

上一篇我們說到，狀元宰相文天祥到元朝大營議和，與大帥伯顏言語不合，被扣留下來。

文天祥初到元營，便與呂文煥同座。文天祥知道他就是苦守襄陽的呂文煥，心中惱怒呂文煥不能堅持到底，最後還是投降了元朝，別過臉來不理他，懶得與他講話。

過了兩天，呂文煥見文天祥與伯顏起了衝突，忍不住勸道：『朝廷既已歸降，丞相何不息怒？』

一聽呂文煥爲元朝幫腔，文天祥怒由心生，指責道：『你，你這個亂賊，你根本不配與我說話。』

呂文煥曾經苦撐五年，天天盼朝廷來援，盼得眼睛都要盼出血來了，要不是賈似道老賊誤國，他今天也不會來侍奉夷人，因此，對文天祥的指責很不以爲然道：『丞相，你憑什麼罵我是亂賊？』

『你，身爲大將，守土有責，竟然背離國家，叛君投敵，以致國家不幸至此，你這個罪魁禍首，連三尺童子都在罵你，何止我一人罵你？』

呂文煥覺得文天祥這個話太不公平，不自覺也提高了聲音辯解道：

『我困守襄陽達五年之久，朝廷不救，我不得已而投降，何亂之有？』

文天祥毫不留情的說：『城已破，你可以死啊，你貪生怕死，上負朝廷之望，下辱呂家之聲，我恨不得殺了你和你賣國的姪兒！你們叔姪兩人若要殺我，反倒是周全我，我也不怕。』

呂文煥被文天祥罵得抬不起頭，一語不發，慚愧的離開了。若是換了別人指責呂文煥不忠，他會十二萬分的不服氣，嘲笑對方沒有吃過賈似道的虧，不了解忠臣對朝廷由愛生恨的心理曲折。可是，面對著文天祥，文天祥也屢次受到賈似道的排擠，也了解朝廷的黑暗，現在大義凜然在等死，呂文煥只有汗顏。

在一旁的伯顏，看到了文天祥教訓呂文煥這一幕，吐著舌頭嘆道：『文丞相心直口快，眞是標準男子漢大丈夫。』

南宋既然已經投降了元朝，伯顏在臨安設置了兩浙大都督府，亡了國的太皇太后，以賈餘慶等五個人爲亡宋祈請使，赴北都朝見大元天子。

伯顏下令文天祥與祈請使一塊兒前往北都，並且對文天祥說：『元朝也要興辦學校，創立科舉，希望文丞相能夠做大元宰相。』

文天祥眞是不勝氣憤之至，心想，這簡直是開玩笑嘛，他也恥與賈餘慶等人同往北都。但是，文天祥雖然是個手無縛雞之力的文弱書生，卻是個極有勇氣與決心的人，他暗暗決定，趁這個機會逃跑，東山再起，重建宋室。

孔子說，德不孤，必有鄰，有時還頗有道理，文天祥是個不怕死的血性漢子，他也交了不少與他有同樣抱負的朋友。初抵臨安時，文天祥就認識了杜滸，一見如故，推心置腹。

杜滸是浙江天臺人，是一位倜儻的世家子弟，卻絲毫未沾上公子哥兒的惡習，很有幾分才情。他眼見權臣誤國，悲憤塡膺，在天臺召集了四千餘人，滿腔熱血到了臨安，卻見到陳宜中等人忙著議和，朝廷上下病懨懨，沒有一點兒生氣，眞是讓有熱血的年輕人看不下去。

杜滸幸虧遇到了文天祥，兩個人都是熱血沸騰，談得相當投機。當文天祥告訴杜滸，他要匹馬單槍赴元營，杜滸沉吟了一會兒說：『這太冒險了吧？』

文天祥慷慨激昂道：『不入虎穴，焉得虎子，陳宜中既已逃走，我不去誰去？』

『好，那我也跟著去！』杜滸一拍胸脯，便跟著文天祥當隨行，除了杜滸，另有余元慶、李茂等十二個人，都是死心塌地願意跟著文天祥闖元朝大營的志士。文天祥被扣留在元營，杜滸等也動彈不得。

文天祥既已決定趁著北上的機會，死中求生，逃出虎口，便悄悄與杜滸商量定計，見機行事。在文天祥遺留下來的《指南錄》中，詳詳細細記載了這一段經過：

此番北上，走的是小路，從杭州出發，沿運河而行。第一天晚上停泊在謝村，元兵把他們移到岸上，借住在一個農戶家裡，文天祥差一點逃跑了。

次日開船，換了一個看守，戒備更加嚴厲。船抵平江府之時，許多百姓聽說文丞相來了，都擠在岸上等著求見。文天祥此行，是與宋朝祈請使一塊去見北朝大元天子，畢竟不能算是囚犯，還是有接見賓客的自由。

老百姓見到文丞相，都興奮得不得了，文天祥又是感動、又是慚愧，更堅定了爲國効命的決心。

文天祥是被迫與宋朝祈請使一同北上，一路之上，賈餘慶、劉岳等五位亡宋祈請使眞是丢盡了宋人的臉，賈餘慶外號瘋子，果然瘋言瘋語，破口大罵宋朝大臣，他也許以爲罵自己，表示是高等華人，卻讓元人給看扁了。

劉岳更糟糕，最愛講黃色笑話，蒙古人乾脆找了一名村婦到船上，和他摟摟抱抱，劉岳就當場出醜，表演與村婦打情罵俏。呂文煥雖然投降了元朝，到底原是忠誠愛國之人，看到元人拿宋人當笑話，忍不住長嘆：『國家將亡，才會生這種妖孽。』

元兵對劉岳說：『來啊，抱她坐到身上嘛。』這是要讓劉岳出醜，不料劉岳就把村婦抱起，坐在膝蓋上親熱，文天祥在一旁，如坐針氈，不斷搖頭道：『衣冠掃地。』劉岳不覺難爲情，文天祥卻氣他丟盡了宋朝人的臉。

閱讀心得

【第584篇】

文天祥逃出元營。

文天祥被元人軟禁以後，伯顏大帥強迫其北上，朝見大元天子，文天祥準備伺機而逃，重整天下……

元人知道文天祥心不甘、情不願，因此一路之上，特別注意文天祥的行蹤，使他動彈不得，暗暗叫苦。

船抵常州時，文天祥有機會上岸，他看到兩岸廬舍都成了廢墟，心中對蒙古人的殘忍，十分的反感，他曾經寫下『山河千里在，煙火一家無』、

『蒼天如可問，赤子果何辜』的詩句。

在船上飄盪十天以後，到達了鎭江，鎭江是長江南岸的大碼頭，也是沿著運河北上的江南最後一個重鎭，由於此時，江北要地揚州、高郵、淮安仍然握在宋人手中，蒙古人的舟船，若想通過江北，還要一番周折，因此，他們一行先下了船，暫時住在岸上。

話又說回來，文天祥若是想開溜，鎭江是他最後一個機會，若是過了長江，到了淮河流域，那眞是插翅難飛，因此，文天祥心裡頭眞是急得很。

偏偏元朝人不放心文天祥，又加派了一個名叫王千户的，日夜牢牢的釘住文天祥，幾乎是寸步不離。幸而王千户只是一逕兒黏著文天祥，對杜滸等人沒興趣。杜滸得以每天自由自在赴酒樓喝酒，與人攀談找機會。

杜滸假裝是個生意人，要僱一艘船，運貨到江北，談來談去，談了不下十餘起，總是談不攏。但是，文天祥隨行十二人之中，有一個名叫余元慶的，遇著了一個叫吳淵的老同鄉。吳淵的長官投降了元朝，他也只好跟著降元，不過，心裡不願意。

這一會兒，吳淵聽余元慶說，文丞相要用船，他準備用自己的船送丞相渡江，銀子也不要，只希望將來有機會能夠拜見文丞相，余元慶大喜，文天祥、杜滸也很樂。

然而，眼前有一個問題，接應的船雖然有著落了，從寓所到岸邊，街頭曲折迂迴，大街通衢都有哨兵盤查，若是抄小路捷徑，卻又人生地不熟，根本不認識路，想到這一層，大夥兒又開始發愁。

吳淵站起來說：『我出去想想辦法。』過了大半天，吳淵回來笑著說：『解決了。』原來他找到一位鎮江老軍，熟門熟路，不論大街小巷，都一清二楚，只要給他幾文買酒喝，就不成問題了，另外杜滸又在酒樓裡尋著一個查夜的劉百戶，塞了他不少銀子，劉百戶也答應放一馬，雙方決定，第二天半夜成行。

事情到此，萬事俱備。不料，第二天一大早，元軍突然要文天祥中午渡江。

文天祥先是一楞，繼而機警道：『聽說吳江病了，我也來不及收拾行囊，明天我與吳江一起走吧。』

元軍心想，晚一天應無大礙，不過，卻囑咐監視文天祥的王千戶道：

『你要看緊一些！』

當天晚上，文天祥差人買了滷菜，打了好酒，宴請房東與王千戶，表示辭別之意。王千戶不疑有他，難得打牙祭，不吃白不吃，不喝白不喝，痛快的享用一番。文天祥與杜滸左一杯、右一杯，把王千戶灌得一頭靠在桌邊，呼嚕呼嚕大醉不醒。

眼看王千戶推也推不醒了，文天祥等立刻前往鼓兒巷，領路的老軍與查哨的劉百戶都到齊了，一行人躡手躡腳，彎彎曲曲，不曉得走了多少巷道，前面又發生了意外。

原來此處是騎兵營隊，是一個非要經過不可之地，夜深人靜，騎兵全部睡著了，可是，十多匹馬卻橫七豎八擱在巷中，若要硬闖，驚動馬匹，長嘶一聲，大家都完了。

幸而余元慶等人懂得馴馬功夫，曉得怎樣拍馬屁，提心吊膽的折騰了大半天，馬匹終於客氣的讓出巷道，讓文天祥通過了騎兵營。

好容易過了這一關，文天祥等到達江邊，卻不見約定的船隻，文天祥把藏在靴筒裡的匕首拿了出來，他已經決定，萬一逃脫不成，他就自殺。

幸而此時，吳淵的船出現了，文天祥等快速的踏上跳板，進入船艙，小舟慢慢駛出江邊，此時，滿江全是元朝的戰船，不斷的與小舟擦身而過，元人做夢也沒有想到，小舟中正坐著南宋狀元宰相文天祥。

此時正是二月裡，江面上寒風瑟瑟，海天茫茫，愈行愈遠，文天祥仰望黑夜，對著繁星點點，不知未來命運如何，他正在長吁一口氣，慶幸逃出了元人掌握，遠遠傳來問話聲：『是什麼船？搖過來查查看。』

原來，文天祥遇到緝私的船，如果眞要划過去讓他查，豈不是白白送上去。當下，杜滸等人猛力搖著槳，快速的逃走，巡查船大呼：『是歹船，追！』幸虧老天幫忙，恰好潮退，巡查船追不上，再加上，巡查船以爲了不起是小小走私，誰也沒想到暗藏如此重大『私貨』，否則元軍戰船一定追來。

文天祥這才出了江，遇著順風，終於脫離了虎口，這一路之上，眞像是演偵探恐怖片，文天祥好不容易逃過一劫，卻迫不及待又要投入危險的救國工作。

閱讀心得

【第585篇】李庭芝中了元朝的離間計。

文天祥歷盡艱險，終於虎口脫身，他長嘆一口氣，瞻望前途，似乎呈現了一片光明的遠景。

文天祥一行，終於抵達眞州城下，向守城卒吏，通報了姓名，卒吏忙不迭的上報眞州安撫苗再成。

苗再成一聽文丞相駕到，興奮極了，眞州百姓更是萬人空巷，紛紛跑出來，爭睹狀元宰相的風采。

古代交通不便，沒有新聞傳播工具，苗再成竟然根本不知道宋朝向元朝投降一事，聽到文天祥細述經過，苗再成也感傷極了。

苗再成問文天祥：『宰相日後打算如何？』

文天祥思索了一會兒道：『我想去淮東找李公。』李公指的是李庭芝，此刻宋朝仍然擁有一些兵力，並且對宋朝忠心不貳的大概只有李庭芝了。

不料，元朝軍隊發現文天祥逃脫以後，異常憤怒，對外散播謠言，說是文天祥投降了元朝，元朝派文天祥赴地方勸降。

李庭芝自江南逃兵口中也獲得了這個消息，說是元軍祕密派遣文天祥去勸誘苗再成投降。於是，他立刻寫了緊急公文，快馬加鞭送到了眞州，命令苗再成把『先投降敵人，繼而又當了敵人間諜』的文天祥，就地逮捕

斬首示眾。

苗再成接到了緊急公文，先是一愣，接著責備自己太天真，想元軍伯顏一路嚴密看守，而且佈下了天羅地網，文天祥一個文弱書生，怎麼有辦法逃出魔掌。文天祥所言一路上逃亡的經過，也未免太離奇了。

但是，苗再成又覺得，文天祥一行，個個都是置個人生死於度外的模樣，左看右看，也不像是裝的。同時，文天祥並沒有向他勸降，反而鼓勵他與元軍纏鬥下去，這又是怎麼一回事？苗再成都搞糊塗了。

最後，苗再成決定，給文天祥一個機會，免得白白犧牲了一個忠臣。他先騙文天祥一塊兒去巡視真州城防堡壘，當文天祥一行跨出了真州城門，苗再成拿出李庭芝的文書道：『有人在揚州，聽得丞相通敵的消息。』

說著，逕自回城，立刻關上了城門，留下文天祥楞在城門外，不知如何是好。

文天祥一行十二人面面相覷，互相長嘆，怎麼也料想不到，赤心保國，卻落了一個不能見諒於自己人，這種被冤枉的滋味眞是不好受啊！

文天祥在城門外，來來回回踱著方步，他考慮了許久，下了決定道：『既然李庭芝懷疑我通敵，我就去揚州，和他當面解釋個清楚。』

正在此時，忽然城門大開，緩緩來了一批人馬，爲首的說：『我等奉命，護送文丞相，看相公要去哪裡？』

『必不得已，惟有去揚州見李相公。』

『李制使要殺丞相，去了豈不是送死，何不去淮西？』

按淮西是元軍控制之地，一聽此言，文天祥臉色大變道：『看來苗安撫也是懷疑我通敵，那我更要去揚州，生則生，死則死，就是死於揚州，也無愧於大宋朝的宰相。』

爲首的人目見文天祥一副視死如歸的神情，翻身下馬，一抱拳道：『我是奉命試探文丞相，苗安撫有令，若是丞相果有赴淮西元營之意，就地正法也。』於是，一路人馬護送文丞相從眞州到了揚州城外，然後拜別。

幸虧文天祥眞金不怕火煉，否則就死在眞州城外，陳屍原野了，實在好險。

文天祥到達揚州城外時，還沒天亮，城門緊閉，寒風陣陣吹來，有點涼颼颼的，但是心上更涼。

杜滸說：『即使見到李公，把事情說清楚，他還是不相信，那該如何是好，萬一被他關了起來，又怎麼辦？』

杜滸這話很有見地，天下許多事，原非溝通二字可以化解，若是心有成見，說破了嘴也沒用。

文天祥認爲杜滸的看法有理，若是死在李庭芝自己人手中，那才眞是寃啊，未免太不值得了。當下決定，先去高郵，再往通州，赴閩廣一帶，找尋二王。所謂二王，指的是宋朝投降之後，恭帝趙㬎的兄弟益王趙昰與廣王趙昺，自臨安逃出，到了福建。(昰音是，昺音丙)

此時，文天祥隨行之一余元慶找了一個樵夫，他識得前往高郵之路。但是，余元慶卻打了退堂鼓，他不想再跟文天祥走下去了。

余元慶原也有一腔熱血，但是，他看清了宋朝的腐敗，也經過了劫後餘生，如今，又遭到自己人李庭芝的不諒解，深深體會到，大勢已去，絕不是單靠他們幾個人可以扭轉乾坤的，他不想再過餐風露宿，提心吊膽的日子了，剛好他的家鄉在眞州，他準備回去當老百姓。

余元慶要走，李茂、吳亮、蕭發也熬不下去了，他四人悄悄的離開了文天祥，並且帶走了一些白金。文天祥身旁只剩下八個人了。

余元慶開溜，文天祥倒並不怪他們，他知道自己走的是一條艱辛、困苦，而且沒有希望的道路，他從來不敢想會成功，卻還是義無反顧的走下去。文天祥要讓當世人看看，尤其是讓後代人看看，中國人還有這麼傻的知識份子，考取狀元的，不是都想升官發財，也有懷抱大志的。

閱讀心得

【第586篇】

文天祥的《指南錄》。

在上一篇，我們講到，文天祥一行爲逃避元軍，狼狽已極，余元慶等四人熬不下去，悄悄的離開了，如今，只剩下八個隨行伴著文丞相苦苦撐下去。

由於文天祥等人要躲著元軍的追趕，一路上，不敢走大路，只敢在荒煙蔓草的羊腸小徑穿梭，跌倒了再爬起，雖然身上還有少許銀子，卻不見商家。他們也不敢隨隨便便的討食，只能拚命忍著飢餓。

走著走著，天已大亮。當時，元軍早上放哨，萬一被查哨看到，豈不前功盡棄？非得找一個地方藏身才行。遠遠的，他們看到一個露天的土圍子，走近一看，原來是荒廢的牛欄，臭不可聞，他等就捏著鼻子一塊兒擠了進去，然後掏出錢來，拜託領路的樵夫進揚州城去買點兒乾糧。

樵夫走了不久，忽然遠處馬嘶傳來，竟然是元軍數千壓陣而來，鏗鏗鏘鏘的刀劍撞擊聲，把文天祥等人嚇得膽戰心驚，趕緊蹲下身子，此時既不能顧忌牛欄的汙穢，也不能計較牛糞的惡臭，更管不了肚子餓得咕咕叫，一心盼望元軍早點兒離開。

其中之一的隨行，他稍微伸長了脖子，望外看了一眼，他低呼一聲：『糟了。』接著把頭盡量壓得更低，原來，這一群大軍是押解亡宋祈請使

等一行人，而文天祥等正是從這個團體中逃脫的，眞是寃家路窄，人生何處不相逢。

幸而在千鈞一髮的時刻，天昏地暗，下了一場傾盆大雨，雷聲隆隆，十分駭人。躲在牛欄中的文天祥等，當然是更加狼狽，從頭溼到脚。牛欄外的元軍，爲著躲雨，快馬加鞭，疾馳而過，也沒有興致瞄眼牛欄，如果元軍看一眼，就會大喜過望，原來苦苦尋覓的文天祥，正藏身牛欄，元軍可以不費吹灰之力，來一個甕中捉鼈。

元軍終於走了，文天祥一行站起，一個個全身都是牛糞泥巴，三分像人七分像鬼。走了沒幾步，又遇到元兵，他等即刻藏身到竹林中去，不幸得很，王青被捕，金應被逮，張慶眼睛中了一箭，鄒捷腿上受了傷。文天祥命大，被竹叢擋住，元軍沒能發現。

當文天祥終於到達通州時，他已經被折磨得不成人形，隨行十二人只剩下一半，回顧自被扣元營到脫險，整整四十天的非人生活，他把這段經過整理出來寫成詩篇，題目爲《指南錄》。我們這幾篇的故事，就是參考指南錄寫成的。

文天祥在指南錄後序說：『嗚呼，死生晝夜事也。』以他一個文弱的書生，經歷這四十天的煎熬，換了別人，早已心灰意懶，撿回一條命，回去當老百姓了。可是文天祥非同凡人，他吃盡苦頭，卻更堅定救國復國的決心，生生死死，他早已看開。他在通州，來不及休息，急著僱舟南下，到溫州去尋覓二王。

所謂二王，指的是趙昰與趙昺，兩人都是度宗的庶子，嫡子趙㬎，雖然已經投降了元朝，但是中國大部份的領土，尚未落入元軍之手，宋朝有一些不願意爲元臣的文武官員，仍然希望重整河山，因此，共推趙昰爲新皇帝，是爲宋端宗，在福州即位。

宋端宗即位那年，只有九歲，相當今天小學三年級的小朋友，怎麼能處理國家大事？因之，一切軍政大權，仍然操在陳宜中手裡。

說來讓人痛心之至，中國人眞是不能團結啊，這個侷促在福州的小朝廷，一切因陋就簡，但是，陳宜中等人的官架子仍然不能不擺，官癮不能不要，陳宜中堂而皇之當了『左丞相兼樞密使，都督諸路軍馬』，官大權也大。

文天祥千辛萬苦，長途跋涉到了福州，心中懷抱著無限的欣喜與熱情。他以前對陳宜中的印象不佳，滿以爲經歷了國破家亡之後，陳宜中應該『懂事』一些。

誰知陳宜中因爲有『臨陣脫逃』的前科，心裡有自卑感，而文天祥赤膽忠心，人所仰慕，他好像打翻了醋罐子，講起話來酸酸的，又隨時不忘擺架子，似乎要給文天祥一個下馬威，十足腐敗官僚的醜惡嘴臉。

文天祥好生氣，若不是爲了顧全大局，他眞要與陳宜中翻臉。陳宜中不願意文天祥在端宗身邊，搶他的風采，於是，派文天祥遠赴南劍州（福建省南平縣）經略江西。文天祥雖然不情願，也還是到了南劍州，並且積極的召募豪傑，準備收復河山。

宋朝臣子們擁立端宗，自然是元朝所不能容忍的，元朝伯顏命令已經成為俘虜的太皇太后，派了兩名宦官，千里迢迢，火速召二王回臨安。這兩名宦者，領了太皇太后的懿旨到了溫州。溫州的宋將，二話不說把兩名宦者，連同隨行的宋兵，一起扔到大海之中餵魚去了。

元軍接到消息，即刻兵分三路南進，一路從浙江入福建，一路從浙江入江西，還有一路從湖南侵入廣東。

閱讀心得

【第587篇】謝枋得的故事。

在文天祥義無反顧的奮鬥過程之中，除了他以外，還有不少可敬可愛的知識份子與他一般傻。文天祥是狀元，同年二甲第一名謝枋得，二甲第二十七名陸秀夫都是宋朝末年響叮噹的代表人物，忠節集於一榜，這是千古佳話。現在，我們暫時放下文天祥，先介紹謝枋得。

謝枋得，字君直，爲人豪爽，不拘小節，他有速讀的本領，能夠同時看五行，他不但看書速度驚人，而且記憶力高超，過目不忘，領教過謝枋得觀書本事的人，無不翹起大拇指稱奇。

在讀書時代，謝枋得就以直說敢言著稱，他口才很好，頭腦清晰，邏輯清楚，而且感情充沛，每次論起國家大事，總是情緒激昂到達了極點，常常引起旁人側目，也常常讓人擔心他多言賈禍。他的好朋友徐霖形容他如一隻飛鶴，插翅入雲霄，根本不是任何籠子可以關得住的奇才。

寶祐年中，他參加進士考試，在對策之中把丞相董槐與奸臣董宋臣批評得體無完膚，他的文章之中有一股龐大而凌厲的力量，更有一種堅韌不屈的精神，使得看過的人感到極大的震撼。

考上進士之後，謝枋得擔任過撫州司戶參軍，也曾經帶領信州百姓，抵抗盜匪，不久，他直言的個性果然惹出禍事。

觀

當時，賈似道欺上瞞下，戲耍皇帝，整日蹲在地上玩鬥蟋蟀，號稱爲軍國大事，把眞正的軍國大事置之腦後。賈似道喜歡吃蕈，尤其是天臺山上的蕈，但是蕈一離開了桐木，味道就變了，於是有好事者勞師動衆，自天臺山上把桐木連蕈一塊兒搬下來，讓賈似道大快朵頤。

除了山珍，賈似道還偏好鯿魚，特別是苕溪中的鯿魚，會拍馬屁的趙與可養了數千隻鯿魚，並且僱了大船，每天忙著運鯿魚。

賈似道壞事做盡，卻十分要面子，當時一般人爲阿其所好，竟然把他捧爲『周公』，眞是噁心。謝枋得對這位『周公』，實在不能苟同，拿起筆來，痛快的斥之爲『兵必至，國必亡』的奸佞，這話說得一點不錯，如此國家焉得不亡。

有個名叫陸景思的漕使，一向與謝枋得合不來，漕使是個肥缺，陸景思與賈似道走得很近，才能撈著這個好處，他以對賈太師忠心耿耿爲名，把謝枋得這篇厲害的大作，恭恭敬敬呈獻給賈似道。

賈似道一看大怒：『這還了得！』立刻以誹謗罪的名義，摘除謝枋得的官職，並且謫居興國軍。一直過了數年，謝枋得才被赦回。

謝枋得聽說呂文煥苦守襄陽五年，賈似道不理不睬，而且瞞住皇上，他十分氣憤，決心用一己綿薄之力救援呂文煥，他正準備隻身前往江州，與呂文煥當面商議，不久，消息傳來，呂文煥已經對宋朝由愛生恨，轉而投降元朝。

這個壞消息並沒有擊倒謝枋得，他決心自己投筆從戎，可惜，畢竟是一個儒生，與文天祥差不多，三兩下就敗下陣來。

謝枋得眼看當時預料的『兵必至，國必亡』就在眼前，心情沮喪到了頂點。他隱姓埋名，披麻戴孝，藏身於建寧唐石山中，經常望著東邊，號啕痛哭，哭得悽慘極了，不認識的人都以爲他神經有毛病。

爲了餬口，謝枋得在建陽市中賣卜。中國人一向喜歡算命，『卜以決疑，不疑何卜』，算算流年、算算妻財子祿，半消遣半認眞。只要有顧客上門，謝枋得就乾咳一聲，清一清喉嚨，按著出生年月時日的干支八字，配合陰陽五行相生剋之理占卜吉凶。國已亡，他心已死，做什麼都無所謂。

這位算命先生算得還滿準的，可是很奇怪，當顧客請教完畢，付了錢站起來要走之時，謝枋得總是拿起一枚銅幣道：『這就夠米錢了，其餘請拿回去。』

顧客還以爲自己聽錯了，轉身要走，謝枋得又喚道：『拜託，請把多餘的錢帶走。』久而久之，建陽市都知道這麼一個怪異的算命先生，繼而人們發現他談吐不俗，腹中頗有詩書，把他請到家裡當師塾，謝枋得也欣然前往，建陽人氏卻不曉得，這位師塾可是進士出身，大有來頭。

宋朝滅亡以後，集賢學士程文海推薦二十二名大學問家給元朝朝廷，元朝行省丞相兀臺親自來訪謝枋得，熱絡的執著謝枋得的手請求幫忙，謝枋得推說：『上有堯舜，下有巢由，謝枋得名姓不詳，不敢赴詔。』

兀臺拿謝枋得沒辦法，悻悻然告辭。

閱讀心得

【第588篇】

陸秀夫與張世傑。

在宋朝末年，抵抗元軍最著名的民族英雄，除了文天祥以外，就是張世傑與陸秀夫，人們合稱之爲『宋末三傑』。

話說，宰相陳宜中控制的小朝廷，不斷的企圖排擠文天祥，自己卻抵抗不住元軍的進犯，陳宜中第二度逃之夭夭，不知去向。

小皇帝端宗，在海上遇到颶風，受了驚嚇，小小年紀，實在禁不起這番折騰，活活給嚇死了，可憐，死時才只有十一歲。

端宗這麼一死，大有樹倒猢猻散的敗落味道，幸而簽書樞密院事陸秀夫登高一呼：『大家不要忘記，度宗還有一個兒子在呀，古時候有以一旅之衆，一城之地，尚可中興者，今天百官有司俱在，有士卒萬人，證明上天還不準備滅絕大宋，難道我們不能再復興嗎？』

陸秀夫，字實君，文章清麗，平日個性沉靜，不喜多言。在應酬場合，不管旁人鬧酒鬧得如何熱鬧，他總是一個人矜持莊重坐在席上不言不語。衆人沒有料到，沉默寡言的陸秀夫眞是不鳴則已，一鳴驚人，他這番話凝聚了人心，爲大家重新燃起了希望。於是，百官共推帝昺爲帝，帝昺只有八歲大，相當今天小學二年級的小朋友，由張世傑、陸秀夫兩人共同輔政。

帝昺這個小朝廷委實可憐，只剩下小小的幾個縣，張世傑選擇了廣東新會的厓山爲根據地，厓山位於廣東赤縣東海中，有兩山相對如門，又稱之爲厓門山，地勢險要，可以扼守。

張世傑派人入山伐木，草草搭了三十間稍微像樣的房屋，做爲皇帝的行宮，又造營房三千間，做爲軍旅長期抗戰之用。

在這個顛沛流離逃難之所，朝廷之上早就無所謂綱紀，可是陸秀夫每日朝會，仍然手捧著象笏，莊嚴敬謹肅立著。面對著眼前一片淒涼，他卻時時忍不住，偷偷用朝衣拭去眼角的淚水，左右看到的人無不爲之動容。

張世傑、陸秀夫，一個主外，一個主內，漸漸把厓山朝廷經營起規模，附近的州縣紛紛加入，一時之間，儼然成爲復興的基地。

不幸的是，元朝大將張弘範嗅出這股氣息，他向元世祖忽必烈上報：『宋朝人強調忠臣不事二主，而且中國人素來認爲：漢族衣冠，不能淪爲夷狄。因此厓山小朝廷，雖然不足以成事，卻不能等閒視之，我們必須把它消滅得乾乾淨淨，不留一點兒禍根。』

元世祖忽必烈認爲張弘範的建議極有見地，立刻賜贈尚方寶劍，任命張弘範爲大元朝蒙古漢軍都元帥。

張弘範在潮陽，先俘虜了最孚衆望的文天祥（這段經過我們下次再談），然後全力撲向厓山。

有謀士對張世傑說：『出海的要塞港口，我們無論如何要固守，否則我等即無法進退。』

張世傑卻另有想法，他的看法是：『老是守在海上，士卒必然離心，現在，是決一死戰的時候到了。』他一狠心，把岸上的一切設備完全燒個精光，然後集合全部人馬，撤退到了一千艘巨舟，用鐵鏈把舟與舟之間鎖起來，四周築起樓棚，帝昺的巨舟停在一字形船陣正中間。

張世傑的戰略，許多人都覺得不妥，都提醒張世傑：『莫忘了赤壁之戰的教訓。』

赤壁之戰是三國時代有名的一場大戰，曹操率領大批艦隊乘風破浪而來，他爲了應付軍士們的暈船症，把大船小船搭配起來，首尾用鐵環相連接，上面鋪以寬木板，曹操在甲板上愉快的漫步，並且浪漫的引吭高歌：『對酒當歌，人生幾何，譬如朝露，去日苦多……。』

曹操正在得意，結果，諸葛亮與周瑜卻想出了火攻，再配合黃蓋詐降，將二十艘火舟，如箭般衝入曹軍大營之中。這一場驚天動地的赤壁之戰，奠定了日後曹操孫權劉備三分天下的局面。（這段經過本書前面介紹過）

張世傑胸有成竹道：『各位放心，我不會重蹈曹操的覆轍的。』原來，張世傑早料到元軍必然會效法赤壁之戰來火攻，他就先預備了滅火的法子，他把每一條戰艦，都敷上一層厚厚的泥漿，不易著火。這個原理就像人們在土裡挖一個洞，擺些稻草枯枝就可以烤香噴噴的番薯，卻不必擔心火勢會蔓延。

另外，張世傑又找來許多又粗又長的木棍，做成撞竿，只要火種船緩慢駛近，就派士兵用撞竿去撞擊火種船，當然，撞竿沒有力量把火種船撞倒，卻足以使火種船不容易靠近宋朝的戰艦，甚且火種船自己燃燒起來了。

張弘範率領元軍浩浩蕩蕩開拔而來，發現張世傑用鐵鎖把船連在一塊，先是掩嘴暗笑：『這個方法可眞夠笨的。』可是，攻了又攻卻始終燒不掉宋朝兵船，才曉得張世傑是預先做了佈置的。

張世傑是個血性漢子，他的外甥韓某，卻早投降了元朝。韓某曾經一連三次前來勸舅舅道：『匡山早晚都守不住，你何苦白白斷送一條命，識時務者爲俊傑，用不著這般固執啊。』

張世傑淡淡的回答：『我知道投降的話，榮華富貴都有了，卻對大義有虧，你不必再說了。』

韓某只好慚愧的去回報張弘範，張世傑是勸不動的，他決心與宋朝共存亡。

閱讀心得

【第589篇】留取丹心照汗青。

在上一篇中，我們說到，張世傑把一千艘巨舟，首尾相連，與元軍展開殊死戰。

元朝大將張弘範派了張世傑的外甥韓某去勸降，結果，韓某被舅舅訓斥一頓，不得要領。

張弘範不死心，他思來想去，總認爲毛病出在韓某是晚輩，分量不夠，如果能找到一個孚眾望的人去勸降，效果定然不同，而這個最佳人選，莫過於文天祥文丞相。

此時文天祥已被張弘範俘虜，張弘範差了人天天去和文天祥磨菇，翻來覆去對文天祥說：『你告訴張世傑，這場戰爭用不著再打下去了，百姓也可以吁一口氣，大家安享太平，不是很好的事嗎？』

張弘範眞是找錯了對象。文天祥是個逮住機會，就想逃出來再幹一場的人，他怎麼會反過來替元朝講話呢？只有苦笑道：『我自己捍衛不了父母，已經夠慚愧的了，你還要我教人背叛父母，未免太不近人情了吧！』過了沒兩天，文天祥突然改口道：『我想我可以爲你們寫一封信給張世傑。』

張弘範大喜過望，心忖眞是皇天不負苦心人，文天祥終於首肯。等到

他接過文天祥的手稿一看，卻不禁涼了半截，文天祥是這麼寫的：

辛苦遭逢起一經，干戈寥落四周星；
山河破碎風拋絮，身世飄搖雨打萍。
惶恐灘頭說惶恐，零丁洋裡嘆零丁；
人生自古誰無死，留取丹心照汗青。

所謂汗青，乃是古代在竹簡上書寫，先以火炙竹簡去溼，再刮去竹青部份，便於書寫，並可防蛀，因此稱之爲汗青，此處的竹簡代表史冊之意。文天祥這一句『人生自古誰無死，留取丹心照汗青。』何等豪邁、何等悲壯，完全表露出一個讀書人的氣節，也成爲歷史上傳誦不已的名言。

從此以後，張弘範不敢再打文天祥的主意，全心全力進攻厓山，夾殺張世傑，並且派人對著厓山，大聲的喊話：『你們的陳丞相（宜中）早已開溜，你們的文丞相又在我們的手中，你們既然沒有指望，還不如早日投降。』

張世傑的部隊意志力堅強，竟然沒有一人投降，但是，厓山被堵，水源中斷，雖然面臨汪洋大海，卻有乾渴的窒息感。

有人受不了，舀起海水就咕嚕咕嚕灌下去，海水入口的一剎那，雖然鹹了一點，喉頭卻很舒暢。可是灌飽了海水可難受了，上吐下瀉，臉色慘白。即使情況如此狼狽，張世傑率領的一班弟兄，仍然鬥志高昂，努力奮戰。

雙方相持二十三天之後，元兵突然發動全面攻擊，張弘範耍了一招，他下令奏樂，聲調悠揚，乍聽之下，讓人誤以爲元軍在召開大規模的宴會。其實，這便是攻擊的暗號，一會兒工夫，元軍的船艦衝破了宋軍的一字長蛇陣，雙方展開肉搏大戰，元兵身強力壯，宋朝的士兵雖然奮勇抵抗，卻不是相撲角力的對手。

張世傑眼看大勢已去，突圍而走，他想要帶著小皇帝帝昺，差了人去接帝昺。

此時帝昺在陸秀夫的嚴密保護之下，張世傑派出的信差十萬火急道：

『快，快把小皇帝交給我，再遲可就來不及了。』

張世傑派來的信差，陸秀夫以前沒有見過，他也不太相信，在元軍猛厲的攻擊之下，張世傑還能夠逃脫，退一步來看，就算果眞是張世傑遣來的人，萬一此人拿到了小皇帝，立刻跑到元軍那兒邀功，那又如何是好？素昧平生，實在不能輕信啊。

陸秀夫平靜的對信差說：『對不起，皇帝不在這兒，這兒不安全，早送皇帝到鄉下去了。』

信差不相信陸秀夫，卻也莫可奈何，陸秀夫想到當年徽欽二帝所受的折磨，實在不忍心九歲的小皇帝帝昺再忍受非人生活。

於是，他牽著小皇帝的手，來到厓山山邊，先把自己的妻子趕入海中，免得元軍攻入，妻子遭到凌辱。

然後，他撲通一聲，跪在小皇帝的跟前，哽咽的說著：『國事到了這個地步，陛下只有爲國成仁，免得日後被俘，受到元朝的侮辱。』

小皇帝不曉得究竟發生了什麼事，只知涼風習習，站在懸崖旁邊好可怕，忍不住『哇』的一聲哭了起來，然後吵著說：『我要回去，不要待在這裡。』

小皇帝這一哭，陸秀夫也鼻酸難忍，他叩了一個響頭：『陛下，我們要殉國了。』然後，眼淚一抹，背起帝昺，縱身跳海，悲壯極了，許多陸秀夫的屬下，也跟著不要命的往海裏跳。

七天以後，海中飄浮上來許多屍體，元兵在死屍之中，發現一個穿黃衣的小男童，身上還揣有一顆大宋朝的國璽，想必是帝昺無疑，趕緊上報張弘範。

張弘範喜出望外，這下子宋朝斷了根，不用再怕死灰復燃了，立刻上報元世祖忽必烈，並且還得意忘形的在厓山懸崖上刻下了『鎮國大將軍張弘範滅宋於此』用以表彰紀念自己的功德。但是到了明朝，這塊字蹟被人剷平，改刻以『宋丞相陸秀夫死於此』幾個字。

陸秀夫背帝投海之後，宋朝正式滅亡。張世傑雖然突破重圍，別立趙氏，企圖再起，卻不幸溺海而死。張世傑、陸秀夫真是可歌可泣忠貫日月。

閱讀心得

閱讀心得

閱讀心得

閱讀心得

歷代•西元對照表

朝　　代	起迄時間
五帝	西元前2698年～西元前2184年
夏	西元前2183年～西元前1752年
商	西元前1751年～西元前1123年
西周	西元前1122年～西元前 771年
春秋戰國(東周)	西元前 770年～西元前 222年
秦	西元前 221年～西元前 207年
西漢	西元前 206年～西元 8年
新	西元 9年～西元 24年
東漢	西元 25年～西元 219年
魏(三國)	西元 220年～西元 264元
晉	西元 265年～西元 419年
南北朝	西元 420年～西元 588年
隋	西元 589年～西元 617年
唐	西元 618年～西元 906年
五代	西元 907年～西元 959年
北宋	西元 960年～西元 1126年
南宋	西元 1127年～西元 1276年
元	西元 1277年～西元 1367年
明	西元 1368年～西元 1643年
清	西元 1644年～西元 1911年
中華民國	西元 1912年

國家圖書館出版品預行編目資料

全新吳姐姐講歷史故事. 26. 南宋/吳涵碧 著.
--初版.--臺北市；皇冠，1995〔民84〕
面；公分（皇冠叢書；第2492種）
ISBN 978-957-33-1236-9 （平裝）
1. 中國歷史

610.9 84007239

皇冠叢書第2492種
第二十六集【南宋】

全新吳姐姐講歷史故事〔注音本〕

作　　者—吳涵碧
繪　　圖—劉建志
發 行 人—平雲
出版發行—皇冠文化出版有限公司
台北市敦化北路120巷50號
電話◎02-27168888
郵撥帳號◎15261516號
皇冠出版社(香港)有限公司
香港銅鑼灣道180號百樂商業中心
19字樓1903室
電話◎2529-1778　傳真◎2527-0904
印　　務—林佳燕
校　　對—皇冠校對組
著作完成日期—1992年01月01日
香港發行日期—1995年09月25日
初版一刷日期—1995年10月01日
初版二十九刷日期—2021年05月
法律顧問—王惠光律師

讀者服務傳真專線◎02-27150507
電腦編號◎350026
ISBN◎978-957-33-1236-9
Printed in Taiwan
本書定價◎新台幣150元/港幣45元